os donos do inverno
altair martins

Porto Alegre • São Paulo
2019

Copyright © 2019 Altair Martins

CONSELHO EDITORIAL Gustavo Faraon e Rodrigo Rosp
CAPA E PROJETO GRÁFICO Luísa Zardo
REVISÃO Raquel Belisario e Rodrigo Rosp
FOTO DO AUTOR Davi Boaventura
FOTOS DA GUARDA Louis Scur Carrard

Dados Internacionais de Catalogação na Publicação (CIP)

M376d   Martins, Altair
            Os donos do inverno / Altair Martins. — Porto
        Alegre : Não Editora, 2019.
           256 p. ; 21 cm.

           ISBN: 978-85-61249-75-5

           1. Literatura Brasileira. 2. Romances Brasileiros.
        I. Título.

                                                    CDD 869.937

Catalogação na fonte: Ginamara de Oliveira Lima (CRB 10/1204)

Todos os direitos desta edição
reservados à Editora Dublinense Ltda.

EDITORIAL
Av. Augusto Meyer, 163 sala 605
Auxiliadora • Porto Alegre • RS
contato@dublinense.com.br

COMERCIAL
(11) 4329-2676
(51) 3024-0787
comercial@dublinense.com.br

Se o que me falta
é uma tarde de
outubro em que
cortei as unhas.

Palavra perdida,
Diego Grando

Ou talvez
devêssemos dizer
que os cavalos
percebem o tempo
em seu curso real,
enquanto nós,
humanos confusos,
olhamos sempre
para o lado errado.

Cavalos de Cronos,
José Francisco Botelho

1
as fotografias

O inverno teve um pátio. Dá pra ver na fotografia que não sabemos quando, mas onde aconteceu. Ali estamos nós, os pilotos do avião, no canteiro de obras da casa do Fernando. Ele recém chegou com a família do norte, e ainda não somos irmãos — só o Elias e o Carlos. Estamos bem agasalhados para o frio das alturas, prestes a decolar com sucata: uma hélice de ventilador, um cavalete, um assento de cadeira, dois tamboretes, uma tábua. O Carlito, com óculos de natação, confere os equipamentos. O Elias segura a metralhadora que é só um tubo de pvc. No meio do avião, com a tábua da asa nos ombros, o Fernando dá estabilidade àquele voo movido a crença. É a primeira vez que brincamos juntos.

 Um ano depois, o inverno vai precisar de casa nova, quando a mãe do Fernando morre e o Elias e o Carlito ficam sem pai. Viúvos no mesmo mês, Seu Liandro e Dona Marlene, que já eram vizinhos, se juntam para criar os três filhos. Nos reencontramos na casa de madeira, dividindo o quarto de paredes azuis, o frio das frestas e uma única janela. De resto, uma cama e um beliche, um roupeiro parecido com um confessionário, um espelho grande decorado de figurinhas do campeonato brasileiro e o porta-retratos para aquela fotografia, a do último inverno antes de nos tornarmos irmãos de criação.

E há aquele fotochart recortado da contracapa do jornal. Dois cavalos quase juntos, cabeça a cabeça, e o olhar da égua Onesita, redondo e brilhante, nunca mais tão brilhante e tão redondo como naquela vitória em que o jóquei C. Martins, o nosso irmão Carlito, levanta a mão pela última vez. Um dia perguntamos a ele como os cavalos correm, se só olham pros lados. Pra ganhar uma carreira, os cavalos só precisam dar voltas e chegar sempre ao mesmo lugar. São puros-sangues. Nós é que ficamos olhando pra frente e pra trás. Foi mais ou menos isso que o Carlito disse.

2
o Elias

É a última aula da quinta-feira, e o professor Elias demora a perceber que, outra vez, segura o buraco nas mãos. Não estamos juntos, embora lecionar encurte distâncias.

Neste final de tarde, o professor não acha alguns dos objetos úteis que estruturam o seu cotidiano. Sua caneta vermelha para quadro branco, por exemplo. Ela não está dentro da sacola de pano de duas alças, e o professor Elias julga que é a falta da caneta que o atrapalha ao tentar escrever o nome do bicho extinto que mostra na aula de Biologia.

O Tigre-da-Tasmânia só pode ser visto num vídeo do youtube, em preto e branco. O professor vai explicar justamente que o tigre, que mais parece um cachorro, apesar do rabo longo de canguru e das listras escuras no dorso, já não existe. Mas no filme de 1933 ele está lá, vivo, por três minutos e quinze segundos. O animal, talvez se chamasse Benjamin e fosse o último da espécie, viveu três anos em cativeiro australiano, sob o calor intenso dos dias e o frio sem umidade das noites. Benjamin corre em círculos, come, deita, abre uma boca imensa, depois boceja, nos olha nos olhos, cheira o ar. O tigre põe as orelhas pra trás e ergue as patas dianteiras até a tela de arame de sua prisão, como se exigisse seu lugar no mundo. Há uma música que acentua a estupidez de tudo.

Ao acender a luz, o professor Elias, mais que comovido, está triste. E quando encontra a caneta na borda do quadro e automaticamente vai escrever o nome daquele que tinha sido o maior marsupial carnívoro, só então nota que falta não a ferramenta, mas a coisa mais profunda com que se escreve.

Categoricamente o professor Elias explicaria que, claro, uma coisa útil tende a desaparecer em uso e por isso seria lógico que as letras que compusessem o termo Tigre-da-Tasmânia se apagassem naquilo que viessem a significar. Mas não é de lógica o caso: a palavra, confusa nela mesma, desaparece não do espaço, mas da compreensão.

Diante dos alunos aos quais quer explicar a lástima de um animal que nunca mais será visto, o Elias dá as costas para o quadro onde nada escreveu. Na sua cabeça, o termo Tigre-da-Tasmânia pede o nome, mas o professor não encontra em si os mecanismos necessários para escrever. Sabe quais são as letras, pode ver cada uma delas exposta, mas simplesmente lhe falta algo humano que entende o que se escreve e que sabe que uma letra é um elemento distinto de outra letra, como os sumérios ensinaram à História, em cunha e argila, e aquela falha parece comprometer toda a operação. Culpa do cansaço, qualquer professor justificaria assim.

Mas o Elias já não consegue justificativa decente para as coisas mais importantes da sua vida, que dirá por cansaço. Pega a sacola de pano e tira uma a uma suas coisas de lá, uma agenda, um tubo de cola, uma tesoura, alguns lápis pretos, uma caneta esferográfica, uma borracha. Nem mesmo os dois livros de Biologia o detêm, porque o Elias está perdido a procurar sem saber o quê. Destampa a caneta, parece desenhar — um risco horizontal cortado por traços que diminuem rumo à cauda de uma espinha de peixe. Mas para. Ganha tempo, uma artimanha didática atingida com a experiência, até que uma resposta venha convincente ao aluno que faz a pergunta difícil. Poderia pedir ao líder de turma que buscasse, mas pediria que buscasse o que e onde? Sente que o furo não se guarda, que o furo está no professor, e a palavra que precisa escrever simplesmente não parece ter sido inventada. Algo muito ruim passa a arder na garganta. Ampara-se no quadro e não reconhece o que um garoto, impressionado com aquele cachorro de listras, vem lhe perguntar. O desenho é um fóssil de bicho, professor?

O Elias não sabe o que é fóssil e olha os estudantes num começo de algazarra, alguns achando que o professor de Biologia está pra ter um troço. Mas o Elias busca apenas a conexão natural entre as coisas que o cercam naquela sala, que têm que pertencer à mesma família, que são coisas irmãs a classe, os estudantes, o professor, o bicho que desapareceu, o quadro branco, a caneta de tinta vermelha e a palavra fóssil. Como vem sentindo, o assombro de toda a adolescência retorna para discutir as culpas, velar um corpo, fechar um luto. Ao Elias falta a língua, porque o português, depois de doloroso, não dá mais conta. Mas não é esse o problema. O professor simplesmente não tem idioma. Ele tosse.

Alguns estudantes vêm socorrê-lo. Outros aproveitam para sair. Há papéis voando, e a dúvida que alguém pergunta numa língua chiada.

Poderia soar o alarme forte que anuncia o fim do turno. Mas não soa. O Elias perde os limites de sua ação, os alunos tomam o corredor, e então o mundo descarrila. Na confusão, o professor Elias é chamado por alguém.

Pelas janelas abertas vaza o frio. Mas o Elias, mesmo de mangas curtas, não o sente, nunca mais sentiu. E antes que ele se aproxime da janela, a cabeça de um cavalo, de um baio ruano, quase dourado, surge para olhá-lo de flanco. E o Elias entende que há um cavalo no pátio da escola e que o cavalo enfiou a cabeça pela janela e balança as crinas espessas, mais claras que o corpo, e espera que o professor lhe fale.

E então o Elias lembra que pode falar com cavalos.

Agora de forma mais clara: o cavalo gesticula com os lábios, mostrando gengivas e dentes. E o Elias compreende.

«Professor, ninguém para quieto fora do lugar.»

É uma sentença a do cavalo ruano. Sugere um lugar de desconforto e insinua aquilo que o Elias aceita, porque recolhe os materiais da mesa e sai pelo corredor apinhado de estudantes. Pensa no irmão Fernando. Lembra que a mãe lhe tinha dado o número dele, mas ainda teme que o Fernando possa se recusar a entender ou que entortemos as lembranças pra lá e pra cá. E mesmo assim o Elias nos antevê juntos, e uma necessidade medonha de chamar o Fernando o leva a seguir o cavalo que, devagar, vai deixando a escola. Quando cruza da porta para a rua, o cavalo se vira e o espera.

«O professor não vai perguntar ao irmão se ele ainda se lembra do senhor, vai?»

E o Elias responde, numa língua que parece uma tosse:

«Só quero ligar pro meu irmão. Preciso que ele dirija outra vez.»

3
o Fernando

O Fernando teme que seja um recomeço.
   Primeiro é a voz no telefone, pedindo ajuda como se tivesse segurado a respiração por muito tempo: Preciso que tu dirija pra mim. Pode vir? Depois, a sensação covarde toma as mãos que guardam o telefone, e as mãos não parecem mais ter força, e daí passa pelo estômago, e um peso, e chega aos pés. O Fernando deixa cair sabonete, creme dental, um isqueiro de plástico. Por um momento, julga estar regressando tarde ao quarto apertado, e então, sem acender a luz, terá de juntar aquelas coisas com muito cuidado para não acordar os dois irmãos.
   Um funcionário do supermercado lhe recoloca as compras na cestinha. Mas tudo volta a cair. O que foi? É que fazia tempo que o medo não o paralisava assim. O senhor tá se sentindo bem? O Fernando não responde. O funcionário percebe

que ele olha para as gôndolas. Precisa de ajuda pra achar alguma coisa?

O Fernando conhece o sintoma: a voz decidida pedindo que pegue o automóvel e dirija até encontrar alguém que já não existe. E desta vez o Fernando sente, pela expressão do pedido, que será algo mais forte. Tem pressa e por isso se livra das compras na primeira estante, mexe nos bolsos, deixa cair umas moedas e foge. Para o Fernando interessa sair logo dali, pegar o carro e dirigir até a escola onde o irmão leciona. Porque o Elias voltou a ser assombrado pelo jóquei que nunca deixou de correr. Interessa mais ainda que possamos conversar, depois de tanto tempo, sobre qualquer coisa até que um acalme o outro, é isso.

Enquanto avança pelos corredores do supermercado, dobra esquinas, espanta pessoas, o Fernando se sente sozinho com aquelas lembranças que nos separam como irmãos: longe do Carlos, depois do acidente; longe do Elias, depois do Carlos. Na cabeça, o Fernando pegava aquele carro que não lhe pertencia e guiava na chuva intensa, em alta velocidade, até Guaíba. Depois vinham as expressões inéditas da mãe e do pai no portão de casa, a chuva ainda, a procura do Carlito caído na autoestrada, a noite mais fria, a manhã mais fria, e o retorno à casa dos pais para dar a notícia de que precisavam entrar no carro e ir com ele a Porto Alegre, que o Carlos tinha chegado ao hospital Beneficência Portuguesa. Em seguida o

Elias, com a notícia do médico, falando primeiro para o Fernando. Nós dois caminhando até o resto de chuva, o Elias tendo de falar mais alto que o barulho de uma sirene: o Carlos esperou demais na estrada. Agora outra vez o que era uma coisa só começa a se dividir. O Fernando precisou tanto do irmão restante e nunca entendeu como tudo acabou tão longe. Morando na mesma cidade, trabalhando tão perto, e o buraco só pareceu maior. Cavalos não olham de frente, cavalos só olham de lado, o Carlos nos disse. E então o telefone vem recrutar o motorista. O Fernando nunca se sentiu pronto, mas tem que ir agora.

Chega à porta de vidro do supermercado e olha para a rua. Depois, para os corredores onde as mercadorias fingem cumprir a normalidade de uma quinta-feira, fim de tarde, em Porto Alegre. O funcionário vem até ele. O senhor deixou cair o dinheiro.

O funcionário pega a mão do Fernando e devolve as quatro moedas. Meu táxi, não vejo daqui.

O funcionário avista carros vermelhos em fila. Seu táxi é aquele ali.

O Fernando olha e agradece com a cabeça. Hesita antes de sair para o fim da tarde. Entra no automóvel com as mãos geladas. Pensa: desta vez é diferente, agora o carro é meu, vou aonde quero. E dá partida no motor.

Na infância achava que seria sozinho, lá nos nortes de Tocantins, quando Tocantins era ainda

Goiás e ele vivia só com o pai e a mãe. Depois, a família deixou Guaraí, e o Fernando ganhou dois irmãos no sul para perder um e se perder do outro. No semáforo fechado, concentra-se no horizonte que acaba lá na frente, no parque da Redenção, adivinhando o que dirá ao Elias. Lembra a mãe, que tanto pedia que ligasse ao irmão, que o Elias tinha voltado a conversar com cavalos. Suspeita que um impulso nos leve a algum abraço e tem medo de que um de nós possa não gostar. Porque lembraremos tudo e talvez não achemos conversa. E entretanto, mais que medo, o Fernando tem vontade de falar com o Elias. Automatiza na sequência uma conversão à direita, à direita de novo, depois à esquerda e então uma reta até a escola. Para o Fernando não interessa mais nada, a não ser fazer diferente: dirigir para nós dois.

Na Vasco da Gama, abre os vidros e olha o céu, muitas nuvens, e respira, respira, como se respirar lhe repusesse o fôlego que antevê necessário. Por enquanto, está em meio ao trânsito de fim de tarde, com carros de pais a recolher os filhos na escola em frente. São muitas as crianças, e ele procura uma vaga para estacionar. De pisca-alerta ligado, o Fernando recebe outra ligação: avisa que está na esquina com a Barros Cassal, num táxi, um chevrolet classic. E vê quando o irmão se vira pra ele, muito perto, tão perto que poderíamos nos ter escutado sem telefone. O Elias olha para dentro do táxi e reconhece os cabelos de índio do

Fernando e sabe, enfim, que o irmão veio. E o Fernando reencontra o mesmo Elias de mangas curtas, que não sentia frio, um Elias que gostava mais dos bichos que de videogame. Quando o Fernando ameaça descer, já o Elias abre a porta do táxi e, sentando, diz, meio sufocado como quem acabou de sair de dentro d'água:

— Te reconheci de longe, Fedor.

O Fernando ri ao escutar novamente o apelido. Como que por um hábito inevitável, pegamos um no braço do outro. E só. Daí o Fernando sente-se vivo. Esboça algo que não lembrávamos, mãos medrosas nos ombros do Elias, quase abraço. Mas o Elias tem pressa e aponta, respirando forte pela boca.

— Segue aquele cavalo.

O Fernando não consegue ver cavalo algum. Mas entende aonde vamos e que ele, o motorista Fernando, precisa dirigir o carro, e que o Elias volta a sofrer da falta, e que então os anos não tinham passado porque desperdiçamos quase tudo. Mas agora que o Fernando trouxe o táxi, dirigir nos parece mesmo encurtar distâncias.

4
o táxi

Cai a noite, o frio promete, e o Elias insiste em apontar para um cavalo que foge. Mas só quando olha atentamente para onde o Elias aponta é que o Fernando também vê. É um cavalo de pelo aveludado demais e crinas volumosas como uma juba. Parece artificial, como se ele todo fosse de brinquedo. Mas não é, pois, fustigado pelas buzinas, o cavalo vence espaços entre carros e motos e segue em frente.

— Tá vendo agora?

O Elias já não luta com o ar.

— Sim. Mas parece que ninguém viu, olha.

O Fernando faz o Elias notar as pessoas, revoltadas com o trânsito parado em frente à escola. As buzinas se intensificam. O fiscal de trânsito apita e gesticula freneticamente para que o taxista se mantenha na fila. Estamos presos.

— O cavalo vai pra lá?
— Ele disse que vai.
— Quem?
— O cavalo.

O Fernando se vira para o Elias e por um instante quase nos olhamos. Depois o Elias desvia o olhar do Fernando e volta a apontar.

— Puta merda, não deixa o cavalo fugir.
— Não deixo.

O Fernando pede que o Elias coloque o cinto e engata uma marcha e invade trechos de calçada e corta três automóveis. Recebemos mais buzinas e vamos nos metendo, obrigando os outros carros a abrirem espaço e assim alcançamos a descida do viaduto da Conceição. Ao longe, o cavalo nitidamente reduz o trote e nos espera. O semáforo em frente à Santa Casa fecha, mas furamos o vermelho e, enfurecendo carros, contornamos a universidade rumo à zona sul.

O Elias enfia a cara para fora do táxi. Uma moto buzina rente à sua cabeça.

— Viu só, Fernando, ele não tá fugindo. Já sabe que a gente vai atrás dele.
— Temos horário pra chegar no hipódromo?
— Tem tempo. Temos que pegar pelo menos o último páreo.

Em vão o Fernando tenta ligar o google maps no telefone.

— Merda, não tem sinal aqui. Sabe um caminho melhor?
— Só o dos cavalos.

O Fernando olha os braços do Elias pra fora do carro, a debochar da noite gelada de Porto Alegre, e sente saudade de perguntar aquilo.

— Não tá com frio?

O Elias volta a rir daquela pergunta tão do Fernando.

— Que bom que tu veio rápido.

Seguimos o cavalo que vence posições, ultrapassa os carros lentos, investe por dentro, depois por fora. Com o olhar, o Elias vasculha o táxi como quem procura coisas perdidas. O Fernando sabe onde achar e olha mais para o lado do Elias.

Vai caindo um sereno que obriga o Fernando a fechar os vidros e acionar o limpador do para-brisa. Tudo se cobre de umidade, e sentimos as luzes mais brilhantes. Somos aqueles que perseguem um cavalo de veludo por Porto Alegre como se fosse uma lembrança salvadora. Mas na subida da Fundação Iberê Camargo só o que avistamos são luzes vermelhas de carros parados, o rumor de gente que quer voltar pra casa. Nosso cavalo desaparece.

— Preciso de uma fresta, Fernando, senão eu sufoco.

O Fernando abre parcialmente o vidro do carona. Depois, olha o rio, e o rio não existe: é todo umidade, sem horizonte. Mas, para olhar o rio, precisa passar pelo rosto do Elias. Lembra que tinha sido ali, onde antes existia um estaleiro, que o pai Liandro tinha ensinado os filhos a pescar. O Fernando, curioso com a fábrica de navios, e viu aquilo que lhe causou um medo sem explicação. Era uma hélice, imensa, cor de cobre, parada, mas que ao Fernando pareceu o ventilador do mundo num breve instante de repouso. Depois, quando colocassem o ventilador num navio e a hélice girasse, faria uma tempestade de sacudir o rio. Toda marcada de sulcos, arranhões, esfolados, aquela coisa era uma brutalidade. Não era a hélice de plástico do nosso avião. O Fernando pediu ao pai para irmos embora, alegando que a hélice chamava temporal. Mas ninguém levou a sério o medo dele. E ele não quis mais pescar. Ficou de longe, a observar a fábrica sem barulhos daquele domingo, escutando, ainda assim, algo que parecia o ronco daquela hélice que dormia. E então chorou e contou seu medo.

— Ainda tem medo, Fernando?
— De quê?
— Daquela hélice fazer temporal?
— Tá lembrando aquela época?
— A gente tava lembrando aquela época, não tava?

5
a égua Onesita

No Hipódromo do Cristal, o Elias indica onde estacionar o táxi. Descemos. O Fernando abre o porta-malas e pega uma jaqueta.

— Bateu um frio.
— E esse táxi aí, é teu?
— Depois de tanto ralar, é a minha firma.
— A mãe me disse. Vem comigo, Fernando. Depois me fala como eu pago a firma. Pode ser?

Atravessamos a vegetação dos canteiros, pisando lajotas soltas sob uma luz muito ruim. Caminhamos por um vão que se abre entre os dois pavilhões até chegarmos à luz branca que se despeja sobre a pista de areia. Ouvimos os ecos do locutor. O Elias aponta um banco molhado pelo sereno, dá uma secada com as mãos e senta primeiro. O Fernando o segue e, juntos, ficamos a ver a pista.

Olhando ao redor, o Fernando vai recordando a última vez que tinha vindo ao Jóquei Clube e sente que, apesar da noite, quase todas as coisas estão nos mesmos lugares.

— Nunca mais vim aqui no Cristal. Mas não parece ter mudado quase nada.

— Mudou, sim. Tudo vai mudando. Não é o mesmo prado, o Elias responde. Depois mostra que tem um páreo pronto pra começar.

Pelo alto-falante, o locutor anuncia jóqueis e repassa o desempenho dos animais. O destaque é um cavalo castanho-claro de nome Oscarito, número 7. Vem de uma vitória e dois segundos lugares. A ameaça é um cavalo requeimado de nome Dom Max, número 15.

— Ou ganha o Oscarito ou aquele rosilho número 12.

Ouvimos que o 12 não é um cavalo, mas uma égua possante, com tons de rosa desmaiado, de nome Água Forte. Vem de um segundo lugar e um quarto, sem participação na última corrida. O locutor anuncia a partida do sexto páreo, Clássico Presidente José Cunha Rasgado, e assistimos a um revezamento de cabeças, sem que nenhum cavalo desgarre nem fique pra trás. Até que Oscarito coloca uma paleta de vantagem sobre Jong Blue, em seguida um corpo, dois corpos, e por fora Água Forte vem para assumir a segunda colocação, um corpo e meio atrás de Oscarito. A apenas seiscentos metros do disco, Água Forte encosta, com Oscarito na frente por um corpo escasso de vantagem. Somente na curva do shopping, Oscarito avança, começa a crescer, torna-se enorme e põe dois corpos sobre Água Forte. Alguém grita que Oscarito vai ganhar, Oscarito vai ganhar, alguém sacode um bilhete de aposta, mas, na reta de chegada, o cavalo 5, Zé Toureiro, toma carreira por dentro, assume a frente, e o locutor grita que a trezentos metros do disco Zé Toureiro dá voz de prisão e repete que não perde mais, não perde mais, não perde mais e cruza o disco final.

O Oscarito chega em segundo, terceiro para Abadessa, quarto Dom Max, quinto Tio Jou e sexto para Criziu ou Pape.

— Nunca entendi as corridas, o Fernando diz.
— Como assim?
— O jeito como os cavalos correm. É meio imprevisível. Olha aí: não ganhou nem o 12 nem o 7. Veio aquele outro cavalo de trás e comeu todo mundo.
— Normal. Não dá pra adivinhar, mas dá pra ficar mais perto do provável se a gente conhece os jóqueis, se sabe se os cavalos estão com medicação ou não.

O Fernando olha a ambulância, que tinha corrido atrás dos cavalos, e então passa em frente à arquibancada para se instalar novamente próximo à linha de partida.

— Parece duro de frio. Quer café?
— Depois. Não estou vendo aquele cavalo dourado da rua.
— Vamos ver no cânter.

O Elias se levanta e o Fernando o segue e voltamos a cruzar o vão entre os dois prédios para alcançar a área úmida do padoque, onde há sinais de chuva. Os cavalos do páreo seguinte começam a desfilar na mão dos tratadores sob uma luz bonita, meio amarela.

— Vamos apostar?
— Tu querendo apostar? Que te deu, Fedor?

O Fernando fica em silêncio então o Elias aponta.

— Tá vendo aquela égua lá?

O Fernando olha a égua e não vê nada de especial. Mas, chegando mais perto, aos poucos vai reconhecendo que se assemelha mesmo à última montaria do Carlito. Percebe o perigo daquilo, que o Elias está mexendo na ferida de novo.

— É só parecida.
— Tenho certeza que é a Onesita.
— Mas não pode ser.
— Vou falar com ela.

O Fernando tinha testemunhado já aquelas visões do Elias, cavalos que vinham falar com ele, mas nunca a Onesita. Vê agora o Elias descer ao padoque, caminhar pelo gramado, evitando o barro, rumar para as cocheiras e lá cumprimentar alguém. Em seguida, vê o Elias se aproximar da égua. Também o Fernando, depois de um tempo, vai até o Elias, mantendo a distância que sempre teve dos cavalos desde que o Carlito era vivo.

É uma tordilha negra, puxando a grafite. Está estupenda, ainda mais usando apetrechos em verde vivo. Número 10. E perto o suficiente, o Fernando vê o Elias acariciando a égua, passando as mãos na cabeça do animal, que aceita e oferece o pescoço. Depois a égua enfia o focinho na orelha do Elias e parece que lhe cheira o ouvido. E o Fernando lembra aquela tarde no mato em frente à nossa casa, já éramos irmãos, e foi quando o Carlito nos chamou para ver a égua Priscila, que o Seu Ramão tinha comprado e estava acalmando. Era uma crioula redomona, bastante xucra, de pelagem gateada e olhos assustados. Tinha metido os dentes no filho do Seu Ramão e não deixava ninguém montar direito. E foi o Carlito, dez ou onze anos, quem pediu pra montar nela. Exatamente assim: acariciou a égua no focinho, e ela negou contato visual. Mas ele circulou ao redor dela, passando as mãos no pelo, até que, usando as mãos trançadas de Seu Ramão como apoio, montou com calma e a abraçou lá em cima, quase desaparecendo entre as crinas. Em seguida, deu voltas leves, troteou com dificuldade e, por fim, ensaiou um galope até onde era possível e veio trazer a

Priscila para o Seu Ramão. O velho batia com as mãos na cara, de faceiro. Quando o Carlito desceu, a Priscila voltou a se sentir nervosa, agitada nas patas, rinchando. O Carlito a olhou de lado, e ela até ameaçou morder, mas se rendeu àquelas mãos, que pareciam ter açúcar pra dar. O Fernando já admirava o Carlito no futebol e na pescaria. Mas, desde a tarde em que o Carlito amaciou a égua Priscila, o Fernando viu nele alguém com quem partilhar uma convivência única e passou a admirar o Carlito até aborrecê-lo.

Isso foi um pouco antes de sermos irmãos. Agora o Fernando vê quase tudo se repetir no padoque: o Elias alisa o pelo da égua, acarinha o chanfro e fala no ouvido do animal tão alto, que o Fernando julga que ele está tossindo. E, como se compreendesse, a égua ergue a cabeça. O Elias deixa de entender o que os tratadores falam. Vê apenas quando eles repetem alguma coisa sem sentido e tiram a égua do contato dele para levarem-na ao cânter. E o que o Elias consegue entender é a imagem da égua circulando, mostrando aos apostadores não a sua pelagem cinzenta que já impressiona a todos, mais escura nas extremidades das patas e no focinho, mas as patas mesmo, e o seu perfil reto. O Elias entende a seguir o chanfro, também mais escuro que o corpo, e a ganacha, como uma fruta madura, destacando-se mais clara que as crinas cor de chumbo. Também entende a linguagem do peito e do pescoço, bastante fortes, contrastando com a cabeça levemente pequena. E apostadores que porventura entendem o que o Elias entende podem reparar nas narinas bem abertas, de boa corredora, e admirar o topete avantajado e pensar que vale muito a pena apostar na égua. Da garupa até a anca o tom também fica mais claro, e a cola que sai cinza termina em desbotado, isso o Elias vê com clareza. É um animal bonito, mas beleza não ganha corrida sozinha, e um jóquei de roupa branca com um x verde no peito a monta para que todos possam ver a firmeza das patas que vão pouco a pouco afinando até os machinhos salientes e, das canelas pra baixo, novamente vem aquele tom de cinza mais escuro, assim como nos jarretes. A égua desfila, há alguém que tira muitas fotos, mas só ao Elias parece que a égua faz um teatro. Está velha, está cansada. Já o taxista que tem medo de cavalos fica impressionado com as recordações que aquilo lhe traz. Envolvido pela memória, o Fernando quer tocar na égua, mas não consegue. O Fernando não é o Elias, e então espera que o irmão faça aquilo de montá-la e completar um quadro. Mas a tordilha carrega seu cavaleiro, e assim as coisas se assentam. Ficamos lado a lado vendo a égua ser levada e então subimos pelo gramado.

6
o Carlito

— Acha mesmo que é a Onesita?

O Elias está ofegante como se tivesse corrido muito e o Fernando insiste.

— Falou ou não falou com ela?

Por anos o Fernando lamentava aquilo: a mãe Marlene pedindo ajuda porque o filho Elias andava falando com os cavalos. Também por isso o Fernando guardava culpa. Agora, o Elias se ampara no Fernando. Respirando muito, vai voltando a ouvir a língua das pessoas. Embora lute ainda por ar, já entende o Fernando.

— E acha mesmo que é a Onesita?

A égua ouve o nome e se vira para o Fernando, e ele tem a impressão de que também o jóquei montado nela, num relance, é o irmão Carlos, e já aceita que é a mesma égua e só quer saber o que o Elias conversou com ela. O que a Onesita disse, o que a Onesita disse? O Elias segura o Fernando pelos ombros e sente, por momentos, o frio que alguém vindo do norte sente naquele sul úmido. Depois, tosse para ele. É uma tosse gutural, tão animalesca que o Elias tem de abrir os lábios e expor os dentes de cima e de baixo. O Fernando não ri, nem entende. Apenas aceita que aquilo é então a língua dos cavalos. Soltando o Fernando, o Elias volta a respirar forte, puxando ar. Precisa sentar. Só depois de instantes levanta e faz o Fernando seguir com ele até o primeiro pavilhão.

— Aonde a gente vai?
— A Onesita disse pra gente apostar.

Entre nós, o Fernando era o que nunca soube apostar e colaborava com dinheiro para que o Carlito e o Elias escolhessem o cavalo. Isso quando o Carlos não corria. Pois o Elias olha o páreo, pede dinheiro e diz que vai apostar para nós dois. Escolhe uma quadrifeta simples para o sétimo páreo nos cavalos 8, 6, 15 e 4.

E então sentamos à espera da carreira.

— Por que não apostou na Onesita?
— Ela não pode mais ganhar.
— Não vi o nome dela aqui no informativo.
— Ela corre com o nome de Mofada.
— E por que a gente não apostou nela?
— A gente apostou nos cavalos que ela disse

que vão ganhar, assim: o 8 ganha, seguido pelo 6, pelo 15 e pelo 4. Se a gente ganhar, a gente reparte.

— E quanto dá pra ganhar?

— Uns três mil, se ganharmos sozinhos.

— Três mil?

O locutor anuncia o oitavo páreo, Clássico Pierre Vaz. A neblina engrossa a luz pesada do inverno, e as pessoas se refugiam na parte coberta do pavilhão. O Fernando esfrega as mãos, levanta a gola da jaqueta. O Elias vai até a pista e avalia algo. Depois sobe, feliz com tudo.

— Que foi?

— É linda essa noite sem estrelas.

O Fernando ri. Também já acha algo de lindo na noite e, quando a largada é anunciada, o número de cavalos do páreo é nitidamente maior. Logo um cavalo zaino, número 8, assume a ponta. Na curva do shopping, ele já distancia três corpos, e o narrador começa a dizer que Halls dispara. Atrás, um cavalo baio-claro, o número 6, o Golden Boy, assume a segunda colocação, e o terceiro lugar é da égua Mofada, número 10. Na reta final, Mofada começa a cansar, e dois colorados, Zoé e Gaiteiro, 15 e 4, a atropelam por fora, deixando a égua na quinta colocação. Com quatro corpos, o zaino Halls ganha bonito. A Mofada acaba em sexto.

— Não ganhamos nada?

— Ganhamos.

O Fernando não acredita. Pergunta quanto, enquanto os fotógrafos se juntam à espera do ganhador. Alguém, provavelmente da família do jóquei, grita efusivamente, e o Fernando também grita. Depois, desce para perto da pista e fica olhando os cavalos. Está tomado por uma alegria enorme. O Elias vai falar com ele e ficamos ali, ao lado da torre de imprensa e dos fiscais de prova.

— É sério que a gente ganhou?
— É sério. Tomara que pouca gente tenha ganhado junto.
— Nunca ganhei nada.
— Grande assim, nem eu. Vim várias vezes ver o Carlos. Apostava sempre.
— Lembra aquela vez que o Carlito caiu ali na curva do padoque com a Onesita? A corrida já tinha terminado, mas os cavalos que vieram atrás quase passaram por cima dele. Era difícil aguentar isso aqui com um cara da gente em cima de um cavalão desses. Por isso a mãe nunca veio ver.
— Lembro que ele levantou indignado com outro jóquei e queria briga. Depois disso acho que só caiu mais uma vez, na pista de dentro, mas nada sério: os outros jóqueis conseguiram desviar dele e terminar a corrida. É por isso que os jóqueis usam roupa colorida, sabia, Fernando?
— Achei que era mais pra fazer espetáculo.

— Também. Mas, na hora da corrida, as cores ajudam a evitar uma colisão ou atropelamento. O Carlito escapou assim. Depois foi morrer naquele acidente de moto voltando de Guaíba. Parece brincadeira.

— Quando tu me ligou, eu já te disse isso, fiquei tremendo. Eu tentei dirigir o mais rápido que pude. Só quando cheguei no pai que ele me contou o que tinha acontecido. Eu precisava avisar o Dr. Miguel, o carro não era meu, tu nunca entendeu isso. Depois que o Dr. Miguel me liberou, eu dirigi de volta, cuidando a estrada. Fui até a casa do Carlito, mas ele não tinha chegado. Te procurei, e tu disse que ia ver nos hospitais e me pediu pra voltar a Guaíba. Não sei como é que eu consegui trazer o pai e a mãe pra Porto Alegre. Daí tu pediu pra medicarem a mãe e me disse que o Carlito tinha chegado num fio de vida. Me lembro bem: fio de vida, foi bem assim que tu falou. Entendi que o Carlito não ia sair do hospital.

— Só pedi que tu fosse a Guaíba porque a mãe ligou da Gladys me pedindo isso. A mãe achava que tu podia convencer o Carlito a deixar a moto na casa dela e ir contigo. Te lembra disso, Fernando? Mas o Carlito não quis esperar. A merda é que eu nunca soube dirigir. Até hoje não sei.

Ficamos em silêncio. O Fernando tinha acompanhado, durante a carreira, a ambulância que seguia os cavalos, e, quando ela passa pelo disco, aquilo parece lhe dizer coisas difíceis. Novamente o Elias menino saía do hospital e o segurava pelo braço.

— Que houve agora?
— É que me incomoda a ambulância, Elias.
— É o socorro.
— É, mas o socorro sempre vem atrás, e a morte, se ela quer mesmo, acaba chegando na frente.
— A morte não corre só aqui.
— Mas corre aqui também, toda quinta-feira, não corre? Na época do Carlito, não tinha ambulância nem pra achar ele na estrada. Tem visto o Max?
— Que Max?
— O bombeiro que socorreu o Carlito.
— Não. Deve ter sido transferido pra outro lugar. Ou se aposentou, não sei. Vamos buscar nosso dinheiro.

E enquanto caminhamos até os guichês de pagamento, o cavalo ganhador aparece com o jóquei e o proprietário para as fotos. O jóquei recebe abraços de uma mulher e de uma menina, provavelmente esposa e filha. Paramos por um momento pra ver, até o Fernando se incomodar com o olho imenso do cavalo e pedir para irmos até o café.

— Não gosto de cavalo por isso.
— Porque ficam te olhando?
— Não, é que não olham direto, é sempre de lado. E tem aquela coisa de muito preto e pouco

branco. Olho de cavalo tá sempre chorando, que nem dizia o Carlito. Esse aí não para de nos encarar. Até trocou de lado, pra usar o outro olho. Daí fico pensando.

— De novo?

— É que tu tinha razão. Se eu tivesse ido direto, sem pedir permissão pra usar o carro do Dr. Miguel, eu podia até ficar sem emprego, mas a gente ia achar o Carlito, não ia?

— Tá, eu pensei isso sim, mas eu também podia ter ido com o Carlito até Guaíba. Ele ia na mãe e depois na casa da Cíntia, porque ele tinha coisas pra resolver com a namorada. Eu devia ter convencido ele a dormir na mãe. A mãe pediu pra ele dormir lá. O pai praticamente quis arrastar ele pra dentro de casa, mas o pai já tava muito doente pra forçar até mesmo a voz. E a mãe contou que o Carlito ficou brabo, ela nunca tinha visto ele tão brabo, que xingou o pai e resolveu pegar a faixa tarde da noite, com chuva e tudo. Ele andava louco com a coisa de correr na Argentina, mas tava com uns quilos a mais. Por isso queria treinar todo dia. Ia acordar cedo na manhã seguinte. Hoje penso que eu podia ter chamado um táxi. Não sei. Mas também tanta gente enfrenta temporal de moto e não acontece nada.

O locutor anuncia patrocinadores. O Elias pede para o Fernando buscar café e esperar ali, ao lado da barraca, que ele vai se meter na confusão das apostas e pegar o nosso dinheiro.

O Fernando pega dois cafés e fica olhando o cavalo, as fotografias que vão sendo tiradas, as pessoas todas que ganham uma corrida. Também tinha visto o Carlos ser fotografado no lugar daquele jóquei, com a Onesita. Só não podia entender ainda o sentido de correr para ganhar de outros cavalos, posar sob a luz intensa de uma fotografia, e depois ir embora com um prêmio que mal pagava as contas do mês. Foi ali também, pertinho da torre, que o corpo do Carlito se despediu da pista de areia, quando tiveram a ideia de trazê-lo para um velório rápido, entre amigos que eram jóqueis, tratadores e proprietários. Lembrando aquilo, uma solidão começa a murchar o Fernando, e ele, vendo o Elias retornar com o nosso dinheiro, vai até o irmão com sentimentos de urgência. Subimos para o pavilhão do padoque e o Elias coloca discretamente um bolo de cédulas no bolso do Fernando.

— Vamos sentar. Daí tu conta o dinheiro.

Enquanto o Fernando confere, ficamos bebendo café. São quase três mil. O Elias pede que ele guarde.

— A gente combinou a metade, Elias.
— Tá, mas antes eu queria te perguntar: tu te lembra de tudo?
— Fala do Carlito? Foi em 91 isso, né?
— Faz vinte e quatro anos.
— Tudo isso? Mas eu lembro de tudinho, Elias. E tu?

— Também lembro de tudo. Eu tinha dezessete anos.

— Eu tinha uns dezenove ou vinte. Tava lembrando da despedida que fizeram pra ele ali, no local dos ganhadores, com aquela música sertaneja. Eu recém tinha tirado a carteira de motorista pra trabalhar pro Dr. Miguel, dirigindo pra ele. Pra mim parece que o Carlito não morreu nem na estrada nem no hospital. Ele só morreu naquele velório aqui. O Carlito tinha só vinte e três.

— O Carlito nem tinha feito os vinte e três ainda. E já ia correr em Buenos Aires.

— Penso muito nisso. Mas, ô, Elias: como a Onesita pode estar correndo ainda? Cavalo corre tanto tempo assim?

— Ela não veio correr. A Onesita é só uma senhora agora. Veio conversar comigo. Entendeu o que ela me disse, Fernando?

— Tu não me contou ainda.

O nono páreo começa a ser anunciado. Vendedores oferecem cerveja e pipoca. Mais pessoas aparecem para sentar, com apostas nas mãos.

— Ela fez a gente ganhar a aposta, acredita agora? Isso porque o Carlito ia ganhar aquela carreira grande em Buenos Aires. Vivia dizendo que, depois dos Estados Unidos, a Argentina era o país do turfe.

— A Onesita te disse que ele ia ganhar na Argentina?

— Não. Quem disse que ele ia ganhar na Argentina fui eu. Acho que eu conheço mais de aposta que a Onesita. Mas ela disse que a carreira que o Carlito queria correr acontece na segunda-feira próxima.

— É, mas ela acertou o ganhador aqui, não acertou?

— Ai, Fedor, foi uma carreira combinada com os outros cavalos.

O Fernando sorri. Espia o Elias de lado, mas não encontra riso nele. Depois, olha para a pista e nota a comunicação dos cavalos, balançar de colas, gestos de cabeça, olhos de viés, movimentos de patas. O Elias está quieto, olhando tudo até o nono páreo começar.

— Nunca acreditei que tu falava com cavalos. Achei que era bobagem de criança. Depois, tinha certeza até que tu tava tirando com a minha cara. A mãe se preocupa com isso, viu?

Em meio aos barulhos de gente que torce e da voz provocante do narrador, o Elias entende o lugar que o cavalo dourado lhe apontou quando foi buscá-lo na escola.

— Escuta bem, Fernando: a Onesita disse que o Carlito não está contente onde está.

— No cemitério de Guaíba?

— A Onesita disse que os irmãos tinham que fazer alguma coisa.

— Como assim? Ela falou do irmão de criação também?

— Falou.

— O quê?

— Ela disse que neste país misturado todo mundo é irmão de criação. Somos todos crioulos, entende?

— Que nem cachorro vira-lata?

— Que nem cachorro vira-lata.

— E o que tu quer fazer?

— Vou precisar de ti pra tirar o Carlito do cemitério. A gente precisa levar ele até a Argentina pra essa corrida de segunda-feira.

— Como assim? Levar o corpo?

— Acho que a essa altura não tem mais corpo. Só osso.

Alguém comenta alto uma aposta exitosa. Gritos fortes ocupam o espaço. O Fernando começa a gostar daquilo tudo.

— A gente não devia ter demorado tanto tempo pra conversar assim.

— Pode dirigir amanhã, bem cedo, até Guaíba?

— Tu fala mesmo com os cavalos?

— Tem dúvida ainda?

— Tenho.

— Pois eu falo inclusive a língua dos cavalos correndo. Olha lá.

O Elias mostra os cavalos durante a corrida, a espuma branca a saltar do canto da boca, os dentes se mexendo num balbuciar veloz mas nítido, e o Fernando se espanta com a ideia de que os animais conversam sobre a corrida enquanto correm.

— Os cavalos combinam a carreira correndo?
— Vou te mandar o meu endereço por mensagem de telefone. Amanhã, bem cedo, tu passa lá, a gente toma café junto e depois vai a Guaíba.

Pessoas nos olham. O Elias espera o fim da carreira, os gritos intensos, abraços de pai e filho. Então se levanta e o Fernando entende que devemos ir embora.

Quando entramos no táxi, ainda temos aquele medo de olhar um para o outro. E é só quando o Fernando começa a manobrar o carro que o Elias coloca a mão no volante e vem perguntar aquilo.

— O que a gente ganhou paga uma corrida de táxi até a Argentina?

7
o apartamento do Elias

Entramos juntos, e cada objeto nos estranha. O Elias tem pouca coisa em que podemos nos reconhecer. Ele vai abrindo as janelas, mas não evita que o Fernando sinta o cheiro de coisas fechadas, coisas guardadas, coisas que pedem socorro. Mas o Fernando olha e sabe: são coisas compradas depois, coisas sem testemunho. À exceção das fotografias: dois aniversários do Elias, seis e nove anos, vizinhos nossos, amigos, a mesma decoração de walt disney compartilhada por tantas festas: cartões quadrados formando as letras do Feliz Aniversário transpassadas por cordão, pratos brancos, chapéus de cone, capinhas para vestir as garrafas de refrigerante, máscaras dos nossos personagens pelas paredes, coisas de papel e nada descartável, que tudo era guardado para a festa do próximo irmão. O Carlito não estava lá no aniversário de nove anos do Elias porque já trabalhava como cavalariço. Mas ele aparece em outra cena, como jóquei, vestindo roupa verde, que sempre vestia verde, e o Elias segura o capacete e os óculos pra ele. Também há uma fotografia da nossa mãe e do pai do Elias e do Carlos. Nas fotos, a casa em que dividíamos um só quarto se mostra em fragmentos, atrás de nós, ao lado, no teto e nas mercadorias que assinalam melhor o tempo. Algumas fotos são de um outro Elias, o que se tornou professor, o que perdeu cabelos, o que enterrou o padrasto. Há bastante desse Elias, e nada nele é confuso, só estranho. Os locais, as pessoas, tudo o que preenche as fotografias são galhos que o Fernando não viu como cresciam nem para onde. Como agora: enquanto um de nós está cavando, o outro está na cozinha fazendo qualquer coisa que não sabemos, sem saber que o outro está cavando. E então vamos abrir um veio no que viemos fazendo e pegar um carro para uma viagem ao sul só porque uma égua disse.

O Elias chega da cozinha e fala que está passando café. Então pega uma caixa de um armário.

— São as coisas do Carlito que eu pedi pra mãe. Pega uma.

O Fernando entende: o capacete e o boné branco que o Carlito usava para se cobrir, os óculos de plástico amarelo para proteger os olhos da areia e do vento, um chaveiro em forma de concha. Prefere os óculos. O Elias pega o boné. O Fernando se sente inseguro.

— Vamos levar?
— Não quer?
— Claro que quero.
— Vou colocar na bagagem então.

O Fernando vai até a janela e encontra, sobre uma mesa pequena, uma gaiola. Sente um bicho se mexer embaixo da maravalha.

— É um hamster chinês. É o Cousteau, porque vive se atirando no pote de água.
— E como ele vai ficar quando viajarmos?
— Ele fica com bastante comida e água. E eles guardam comida aqui na bochecha, tá vendo?
— Que coisa! E quanto tempo vive?
— Uns dois a três anos. Já tive um que durou quatro.
— Já teve mais de um?
— Já tive uns quantos. Um atrás do outro. Mas juntos não dá. Se matam a pau.

Na cozinha, o Elias liga a televisão. Vamos tomando café com bolachas d'água e margarina. As notícias são as mesmas: manifestações pelo país inteiro a favor e contra a presidente. Em Porto Alegre, houve confronto entre os estudantes e a polícia perto da prefeitura. Os comentários são confusos, e parece que todos estão mentindo.

E quando deixamos o apartamento, e quando entramos no táxi, sabemos que o passado se mostrará exigente.

— Já pensei em tudo. Vamos ter que passar na mãe.
— Faz muito tempo que eu não visito ela, Elias.
— Brigaram?
— Não. Só que, depois da morte do pai, não sei por que, mas me senti meio distante.
— Mas não tem jeito. Vamos ter mesmo que falar com ela. Já liguei avisando que a gente vai almoçar lá. Não acho certo levar o Carlito sem contar pra mãe.
— Tua ideia é deixar ele lá na Argentina, não sei, num cemitério, ou pensa em levar e depois trazer ele de volta?
— Bah, Fernando, só penso em levar o Carlito.
— Tá.

E repartimos a rodovia na manhã gelada, apesar do sol: o Elias de mangas curtas e com a janela semiaberta e o Fernando concentrado atrás dos óculos escuros.

— Sabe que eu sempre achei que essa coisa de tu não te agasalhar é meio que pra se aparecer. Porque me lembro de ti, a gente criança ainda, e tu de roupa grossa. No tempo do Carlito, tu sentia frio.
— Fui me acostumando. E tu, de jaquetão assim, não é exagero?
— Não acredito que tu não tá com frio.
— Ô, Fedor, tu só nasceu no norte. Mas te criou no sul, já é do sul.

— Queria ver tu aguentar o calor de Tocantins.

— Um dia desses vamos lá pra ver se eu aguento ou não.

— Estudei a viagem, viu? Se a gente sair amanhã bem cedo, dá pra chegar na segunda-feira e pegar a corrida em Buenos Aires. Precisamos levar também pesos uruguaios e argentinos. O pessoal do meu ponto disse que precisava ter carta verde pra dirigir no Mercosul, e aí eu liguei pro meu seguro e o corretor me informou que eu já tenho a tal carta verde. Depois, se sobrar dinheiro, a gente reparte.

— Se sobrar, fica contigo, que é tu quem vai desgastar o carro e perder dias de trabalho.

— Não. Só vou se for assim.

Ficamos em silêncio, enquanto o Fernando espera a resposta do Elias.

— Tá bom, a gente divide tudo. Mas tu guarda o dinheiro.

— Deixa comigo.

— Nunca achei que tu ia ser taxista.

— Como assim?

— A mãe já tinha me dito, mas estranhei te ver num táxi.

— Mas sempre dirigi.

— Sim, mas nunca imaginei isso. Ainda mais depois do Carlito. A mãe disse que não sabia se tu ia conseguir dirigir de novo.

— Eu também não achei que tu ia ser professor.

— Achava o quê?
— Lembra que tu queria ser veterinário?
— E tu, DJ.
— Mas eu fui DJ. De vez em quando ainda sou. Tenho uma quantidade enorme de músicas baixadas. Só não tenho mais o estrobo e o globo iluminado que a gente colocava nas garagens pra animar as festas.

Um pequeno silêncio se enche de personagens: dois toca-discos e um fone enorme de ouvidos para o Fernando. Colegas de aula, amigos dos colegas, roupas novas, perfume forte, as danças lentas, o desejo, o medo, o beijo como uma marca de território.

— Preciso de uma doença pra faltar às aulas.
— Quer que eu te adoeça?
— É.
— Tu já tá com tosse.
— Tosse?
— Claro. Não percebe?
— Mas ninguém deixa de dar aula por uma tossezinha.
— Então deixa virar pneumonia. Andando pelado assim é bem provável que pegue pneumonia.
— Tá bom, vou pegar a tua pneumonia. Depois ligo pra escola e faço voz de doente. Peço uns dias pra me tratar.

Quase nos olhamos. Mas o Elias é o primeiro a olhar pra frente e rir. Depois ficamos pensativos.

Atravessamos as pontes até Guaíba. A cerração começa a se abrir, recolhendo-se, aos poucos, nas águas e na vegetação costeira. Fazemos o caminho inverso ao que o Carlito deveria ter feito na noite fria e chuvosa. Repartimos a lembrança e a dúvida: se o Carlos apenas caiu ou foi jogado fora da estrada por algum carro. Foi achado justamente naquele vão em frente ao Hotel da Ilha, quase afogado numa poça d'água que não chegava aos joelhos. Mesmo dirigindo, só o Fernando olha para o vão. O Elias olha para a frente, e uma alegria profunda faz que ele coloque as mãos na cabeça e sorria. O Carlito vai para a Argentina.

8
Guaíba de manhã

O Elias sabe bem do que precisamos: pede que o Fernando suba a colina e estacione em frente ao cemitério. Voltamos ao lugar onde terminaram algumas coisas, começaram outras. Inevitável lembrar que, depois de termos enterrado o Carlito, descemos a pé e brigamos e que, a partir dali, começamos uma fuga medrosa um da cara do outro.

Descemos do carro e fechamos as portas como que ensaiados. As lembranças se oferecem, enquanto o Fernando espera que o Elias assuma a frente.

O Elias não contou que o funcionário da prefeitura era o Celso, o Mangueira, o primo com quem o Fernando pouco conviveu. Entramos no escritório e cumprimentamos o Celso. Então o Elias explica o caso. O Celso confirma no computador que a mãe Marlene é a responsável pela gaveta.

— Vocês querem transferir o Carlito, é isso?
— É.
— Para exumar o corpo, vocês precisam de autorização da tia.
— A mãe não precisa saber. Queremos levar só nós dois os ossos.
— Só a tia é responsável.
— Mas o Carlito é nosso irmão.
— Isso não é o suficiente. Não é uma questão de parentesco. Nenhum dos dois tem direito sobre o Carlito. É a tia quem paga as taxas. Querem levar pra onde?
— Precisa saber pra onde?
— Pois aí é que tá: este cemitério precisa saber pra qual cemitério vai o corpo. Olha, com vinte e poucos anos de óbito, só resta osso. Caralho, faz tudo isso de tempo que o Carlito morreu? O cemitério daqui entrega os restos ensacados. Mas pra levar precisa do requerimento do cemitério pra onde vai. Uma funerária pode fazer isso. E tem que pagar uma taxa da secretaria de obras no banco. Depois vão ter que pagar as taxas do outro cemitério. Tem que ver tudo isso. Não é de uma hora pra outra.
— A gente queria levar ele pra Argentina.
— Pra Argentina?
— A gente precisa levar, era vontade dele.
— Levar como, de avião?
— De carro.
— Nunca pediram isso aqui. Acho que pre-

cisa pegar também uma autorização com a polícia rodoviária pra transportar. Isso é transladação. Nem sei como se faz. Vou ter que ligar pro secretário Jorge.

O Celso olha o computador.

— Olha só, acho que o Carlos já tá ensacado. O tio Liandro foi enterrado depois na mesma gaveta, não foi? Então os ossos já foram separados. Mas ainda não entendi: por que vocês vão levar ele pra Argentina?

O Elias espera que o Fernando responda, mas o Fernando quer mais é localizar o túmulo do irmão e do pai, e o Celso consulta e nos mostra na tela do computador onde o Carlos e o Liandro estão sepultados. Recordamos bem: a gaveta fica numa curva, na parte coberta, rente ao chão. O Elias não se conforma com aquilo tudo, tantos papéis, documentos. Pega o Celso por um braço e o arrasta pra fora do escritório.

— Faz isso pelo Carlito.
— Que Carlito, Elias?, o Carlito tá morto! Tô tentando ajudar, mas nem eu sei direito o que precisa mais. Deixa eu ligar pro Jorge.
— É pelo Carlito, o Elias insiste.

O Celso treme de frio. Mostra-se incomodado com a presença insistente de uma pessoa enterrada há anos.

— Ô, Celso, o Elias voltou a conversar com os cavalos.
— Que deu em vocês?

O Celso fica esperando que o Fernando explique aquilo, mas o Elias está decidido.

— Leva a gente até o Carlito.
— Vou chamar um funcionário.
— Não. Queremos que tu leve a gente até lá.
— Não posso deixar o escritório aberto.
— Então fecha.

O Celso vai até duas funcionárias de uniforme cinza, que fumam e varrem as capelas. Avisa que vai levar os dois homens até o cemitério. Caso chegue alguém, que digam para esperar. Depois, veste um casaco e fecha a porta do escritório. Pede para irmos com ele.

— Vocês tão me fodendo assim.
— Calma, Mangueira.
— Mangueira no cu de vocês.

Seguimos o Celso pelas alamedas, e ele não para de reclamar. Tinha feito concurso. No final do ano se formará em Direito, daí pode pegar um emprego melhor. Mas depende do serviço pra pagar a faculdade. A história do Celso não nos interessa.

Conhecemos o cemitério pela lista de mortos parentes, de mortos amigos e conhecidos. E preferimos olhar para as lápides, reconhecendo aqui e ali um juiz de futebol, políticos, o Dr. Solon, que cuidou das pessoas da família. Há muita sepultura abandonada, flores de plástico já sem cor, cheiro de sebo de vela. Em certos pontos, o piso ameaça ceder. Algumas coisas mudaram também: há casas de madeira de dois pisos, escoradas aos muros e com vistas para as alamedas. Numa delas, uma mulher despeja água de uma bacia e nos olha. E ao lado do cemitério instalaram um crematório. Também nos olham de lá.

— Não te sente vigiado?, o Fernando pergunta.

O Elias não responde. Evita pensar nos vivos. Sabemos também que foi aqui e nos lembramos de imagens, como se as imagens viessem nos olhar, mais atuantes agora, e passamos pelas alamedas repintadas, e os túmulos e jazigos levantam os olhos. Cochicham, oferecendo sensações como um sintoma: o que nos pertence, se é que nos pertence, está em tudo, menos recuado quando olhamos. É o que nos incomoda. Aqui se percebe: o silêncio tem também seu turbilhão. Mas o silêncio não é dos mortos. É da ausência. Não há nada entre as vielas senão o que a vida abandona. Por isso coberturas de azulejo onde não há tinta a descascar, a erva não cresce e toda água escorre. É fato: não precisamos nos encarar para sabermos que nunca mais estivemos aqui. Preferimos então os painéis onde as famílias dos outros deixam seus símbolos, os retratos e os nomes alheios para olharmos e sermos olhados com respeito. Seguimos o Celso, que se orienta pelo rosto dos defuntos como se procurasse mercadorias num almoxarifado. Os mortos são mesmo definitivos. Mas não parece ser o caso do nosso, que nos exige esta visita. Entendemos duas opções para quem entra aqui — a de que não há nada; a outra é a crença.

Chegamos a uma esquina de gavetas malcuidadas, muito antigas. O Celso acende um cigarro.

— A gaveta do tio Liandro e do primo é essa aí embaixo.

Nos abaixamos. E eis o lugar da crise, só agora revemos, pois nenhuma lembrança mostra o caminho. Encaramos a fotografia do Carlos, toda em sépia, esmorecida, mas dá para reconhecer: é aquela foto de uma vitória dele, no Hipódromo de Tarumã, em Curitiba. Números da data de nascimento estão caídos. Revezamos o olhar para não ficarmos lado a lado, mas nos vemos agora também, porque talvez ninguém consiga ver muito de perto. O Carlito está aqui, e é como se sua presença nos arrastasse para longe. Basta nos vermos a enterrá-lo e depois a descer a colina até a nossa briga para nos reconhecermos naquela tarde. Agora, diante da lápide, o que vemos é a lonjura mesmo. E somos nítidos nela como se tivéssemos moldura. Já a foto do Liandro, em preto e branco, se mantém expressiva como se ele estivesse vivo. O Fernando olha para o retrato do pai. Onde poderiam estar flores, alguma erva cresce entre uma emenda de cimento. Formigas transitam, levando qualquer cisco difícil de distinguir. O Elias arranca o capim e limpa com a mão a areia grossa que tinha se acumulado na base de mármore da gaveta.

— Eu vou ligar pro secretário e ver como dá pra fazer.

E o Celso tenta pegar o celular do bolso da calça. Mas começamos a falar antes dele.

— Olha, a gente tem que levar o Carlito pra Argentina.
— Não sei se tu lembra, mas ele morreu antes da corrida dele lá.
— A gente precisa fazer isso, Mangueira.
— Que isso? É alguma coisa de religião? O Carlito não existe mais: é isso aí, ó, só uma gaveta.
— Vamos só levar ele até a carreira. Depois a gente traz ele de volta. Quebra esse galho pra nós.
— Trazer de volta? Não é assim. Tem que ter a papelada. Não depende de mim. Preciso ligar pro Jorge e avisar. A polícia pode parar vocês na estrada e daí estoura no meu rabo também. Tão loucos?
— É, a gente enlouqueceu mesmo, Mangueira. A corrida é segunda. Hoje é sexta. Temos que chegar lá na segunda. Saímos amanhã com o Carlito, nem que a gente tenha que arrombar o teu cemitério. Tá entendendo?
— Então arrombem. Só não venham os dois foder com o meu trabalho.

O Celso dá as costas para voltar ao escritório. O Fernando vai atrás e pede um cigarro também. Ficamos em silêncio. O Elias fica olhando uma gaveta. É de um menino que morreu em 83, com oito anos. A família tinha colocado, como numa vitrina, os brinquedos dele sobre pedrinhas brancas: um carrinho de corrida amarelo, animaizinhos de fazenda, mais três carrinhos bem pequenos e um Scooby-Doo de pelúcia, um pouco maior, sorrindo. Saudades de teus pais e familiares. O Elias fica ali, olhando.

O Fernando pergunta o que podemos fazer, e o Celso olha para o Elias, que não tira os olhos da gaveta do menino. Depois o Celso aperta com dois dedos o lábio superior e fala bastante baixo.

— Assim, ó: posso dar a autorização prum funcionário abrir a gaveta. Preciso preencher os papéis pra vocês levarem para tia Marlene assinar. Enquanto isso, peço pro funcionário recolher o saco do Carlito. Depois do meio-dia, tragam uma urna funerária.

— Tem pra vender aqui?

— Puta merda, não tem não! Podem trazer uma caixa de isopor mesmo, do tamanho de uma caixa de picolé, assim, de uns quarenta, cinquenta litros. Vai ficar até menos na cara. Só me apareçam aqui entre o almoço e uma e meia. Nem antes nem depois.

— Certo, Mangueira.

O Fernando agradece segurando o primo pelo ombro. O Celso olha para o Elias. Deve estar lembrando a nossa infância, os apelidos, as partidas de futebol, alguma festa em família, as férias na Praia da Alegria. Esperamos ele dizer que está ajudando porque somos parentes.

— Diz pro fedorento aí parar de me chamar de Mangueira.

9
a mãe

A partir do cemitério, embora pudéssemos imaginar algo diferente, no íntimo sabíamos que seria mais ou menos assim: a mãe abrindo a porta, surpresa, que talvez a assustássemos com aquela imagem, sexta-feira, nove e tantas da manhã, e os dois filhos chegando. Adivinhávamos a alegria de ver os filhos juntos, o alívio de ter dado certo tanta oração para que um reencontrasse o outro. Sabíamos também que ela já estaria fazendo alguma comida, que talvez, com os dois filhos que viriam para almoçar, pudesse cozinhar feijão e se dispusesse a escolhê-lo sobre a mesa — feijões bons pra perto de si, pedras e feijões ruins, incluindo-se aí grãos pela metade, pra longe. Entenderíamos que seria necessário conversar sobre as coisas do mundo dela, contar sobre nós, o que no íntimo queríamos fazer. Então esperaríamos o momento de dizer e mostrar o papel e pedir que ela assinasse. O Elias olharia o relógio e depois o Fernando olharia também e esperaríamos a comida que talvez ajudasse no que teríamos que conversar. Fácil dizer que, enquanto a panela de feijão estivesse no fogo, a mãe pediria que um de nós fosse buscar carne ou linguiça na venda, e que o filho taxista se levantaria para fazer isso.

(Enquanto o Fernando estivesse abraçando o Seu Arnaldo no armazém, pagando a linguiça e perguntando onde podia comprar uma caixa de isopor para picolé, e concordasse que no Mercado do Pinhati podia encontrar essas coisas, e fosse lá, e enquanto o Fernando já estivesse voltando, pensando na reprimenda de Seu Arnaldo — que os filhos não podiam deixar uma mãe viver sozinha daquele jeito —, o Elias ainda não teria se sentido à vontade para dizer à mãe por que os irmãos tinham vindo juntos). Quando o Fernando chegasse com a linguiça, e depois a mãe colocasse na panela de pressão, ela mancaria do antigo problema no pé para nos levar até as vizinhas de sempre, e, olhando a Mais-é, que é madrinha do Elias, repararíamos na velhice mais visível quanto mais distantes ficam as pessoas. E depois que falássemos sobre trabalho, que o Elias dissesse que continuava a dar aulas e o Fernando contasse que finalmente comprou um táxi, e depois que revelássemos também à madrinha que não casamos, que não tínhamos filhos ainda, só depois então a mãe voltaria conosco para dentro de casa. A panela estaria pulsando. Um cheiro bom no ar, a comida da Marlene, se instalaria. E a mãe se levantaria para cuidadosamente abrir, sob a água da torneira, a panela de pressão. Depois iria ainda colher couve, lavar e cortar para cozinhar, refogada em alho, cebola, tomate e farinha de mandioca. E daí sentaríamos para almoçar, comendo em silêncio e bebendo um refrigerante de uva muito doce. O Fernando lavaria a louça para a mãe, que faria café, e beberíamos sentados à mesa, sabendo que faltaria dizer a ela: tínhamos vindo para levar o Carlito até uma carreira, bem longe. Íamos com o nosso irmão até a Argentina, para a corrida que ele deveria ter corrido. O Fernando diria que a Onesita estava viva, que tinha voltado. E o Elias diria que, se o Carlito tivesse corrido lá, ele ia ganhar, que tinha certeza daquilo. E o Fernando então diria que ia dirigir, que a mãe não se preocupasse. Mas precisávamos de uma autorização para a retirada dos ossos. E, se ela perguntasse o que faríamos depois com o filho mais velho dela, o Elias diria que o Carlito ia voltar e o Fernando diria que traríamos ele de volta sim, que a mãe sempre poderia visitá-lo, caminhando com a dificuldade daquele pé direito, mas caminhando até o cemitério.

Seria exatamente assim, não fosse difícil, para nós dois, insinuarmos que estávamos afastando o Carlito de perto da mãe. Porque ela estava perto, sim. E que era um pé torto?

A mãe quebrou o pé uns dois anos depois de perder o Carlito: foi na escada de madeira de três degraus, que dava para os fundos da casa. Não quis ir ao hospital. Mas, quinze dias depois, quando o pé mais parecia uma pata vermelha, ela aceitou ir desde que o Fernando viesse buscá-la, que os outros taxistas eram muito estúpidos. Mas nesses anos o Elias já não queria chamar o Fernando e começávamos a deixar que o tempo mandasse mudar endereços, pintar os móveis, as paredes, trocar as lâmpadas. O Elias deixou que o Fernando viesse uma tarde e a levasse para que os médicos olhassem aquele pé. A mãe já não mexia os dedos e fingia não sentir dor quando o médico a tocou. Não quis raio-X e saiu reclamando quando tirou duas chapas e se constatou que tinha fraturado o perônio, perto do tornozelo. Precisava operar e não quis. Daquela vez nem o Fernando nem o médico conseguiram convencê-la. Ora, ora, era adulta e ainda tinha dentes pra decidir. O médico consentiu engessar e advertiu que ela caminharia com dificuldade. Depois que tirou o gesso, porque a perna comichava, usando a faca da cozinha, e foi antes do tempo, a mãe ficou torta para sempre.

Comendo, de vez em quando olhamos um para o outro e vamos entendendo que a mãe não pode ficar sem o Carlito a quatro, cinco quadras de si. Não vai lhe interessar cavalo ou corrida a vencer em outro país. Ela perdeu o Carlito e depois o marido e, nesta manhã diferente, quer almoçar com os dois filhos restantes. E rezar na hora em que forem embora. Entendemos novamente: é preciso que, até que venha a morrer, ela sinta que o filho Carlos continua onde está sepultado. E ela diz aquilo: Vê só, eu cuidei do filho do Liandro, e o Liandro agora tá lá, cuidando do meu filho. A frase é verdadeira demais.

Quando terminamos o café, o Elias se levanta primeiro.

— Vamos no cemitério agora de tarde.
— Queria ir junto, pra ver o Carlito e o Liandro.

É a mãe. Já mudou o rosto e, animada, parece pronta. É só botar uma roupa, escolher um calçado e manquitolar até o carro. O Elias faz um sinal para o Fernando, que, já de pé, agarra os ombros dela.

— Outra hora, mãe. Agora a gente tem que ir só os dois, tá?
— Vão rezar por eles?
— A gente vai.
— Acho que vocês nem sabem mais rezar.

O Fernando vai até o carro e pega duas garrafas de água e vem encher na geladeira da mãe. Quando leva de volta, é o Elias quem pega nos ombros dela.

— Fazia tempo que o Fernando não vinha, hein?

— Não, o Fernando vem seguido aqui. Quase que nem tu.

O Elias acha primeiro que a mãe está mentindo. Depois cogita que o mentiroso é o Fernando.

— O Fernando vem mais seguido aqui, com o Cláudio, amigo dele. Tu é que vem só de vez em quando. Vocês dois juntos é que não aparecem mais aqui.

O Elias não sabe quem é o Cláudio, mas dá um abraço na mãe. Ela demonstra felicidade. O Fernando vem se despedir também.

— Voltam hoje?
— Traz aquela caixa do Carlito, mãe.

A mãe entende que não vamos voltar. Então, pendulando o corpo, entra no quarto e se demora por lá. Não precisamos falar nada. Nenhum de nós vai conseguir mostrar papel, pedir assinatura. Quando a mãe volta, traz uma caixa de presente enorme, em azul-escuro, com marcas de desbotado no formato dos dedos. Mostra: a mãe guarda do mesmo jeito o capacete, o chicote, o culote, as botas, a camisa.

A mãe segura nas mãos a camisa verde, com uma estrela branca no peito e C. Martins nas costas. Depois mostra aquilo de novo: as carteirinhas de jóquei do Carlito — Jóquei Clube de Canoas, Cristal, Tarumã, Gávea. E pedaços de jornal, mal recortados, soltando farelos. E há aquele do fotochart com uns dez por quinze centímetros: o cavalo adversário, número 3, em primeiro plano, e o Carlito todo branco erguendo o corpo e a mão como se sentisse o focinho da Onesita tocar uma linha que só eles dois veem. O Elias mostra que a vitória foi maior que isso — pelo menos uma cabeça à frente. E lá está o olho da Onesita, uma bolinha mais clara dentro do fundo escuro. Na ponta do focinho também há um ponto mais claro, talvez os dentes, talvez a baba.

— A Onesita tá falando.

O Elias mostra, e a mãe fica séria. Além dos dois cavalos, tudo é mancha, a trajetória das coisas que o tempo não deixa fotografar. É assim em qualquer fotochart. A mãe quer que o Fernando pegue alguma coisa, mas ele diz que o Elias já lhe passou os óculos. Então a mãe vai guardando tudo, primeiro as botas, o capacete e o chicote, depois dobra o culote e a camisa e fecha a caixa e nos beija.

— Vão com Deus.

Esperamos a mãe fechar a porta de casa. E ficamos olhando — o Elias de fora do carro e o Fernando de dentro. Não é a mesma casa, que aquela onde vivemos, de madeira, com janelas brancas e paredes cor de laranja, tinha apenas o banheiro e a cozinha de alvenaria.

A cozinha era para onde fugíamos no inverno. Tudo lá cheirava a café, que chegava a queimar sobre o fogão a lenha. Se não houvesse café na casa, não havia nada: o fogão não estaria aceso. Na mesa só haveria os crochês, alguma louça com uma vela e a Nossa Senhora Aparecida. A cozinha estaria limpa e vazia. Não seria inverno. No nosso quarto havia a janela que dava para o pátio baldio cheio de pés de romã, que era de um antigo vizinho caminhoneiro. Por ali fugíamos os três para a noite. Por ali, mais de uma vez, o Carlito entrou com mulher e escutamos os dois no escuro, numa combinação secreta que tínhamos: um dia o Fernando e o Elias faríamos o mesmo, e a vez do silêncio seria do Carlito. Mas nunca tivemos essa vez. Adivinhávamos, num beliche — o Fernando embaixo e o Elias em cima —, as coisas boas da idade, a ousadia do rapaz e da moça num quarto minúsculo. E a saída dele e dela, que ele a levaria em casa. E a nossa masturbação sacudindo o beliche, os desejos de aprender as funções daquela janela.

Voltamos ao cemitério. O Celso entrega o isopor a um funcionário. É uma caixa amarela com tampa branca. Depois, quando entramos no escritório, pede a autorização da mãe. Falamos a verdade, e ele fica louco. Reclama que vai ficar sem nenhum amparo legal caso nos parem na estrada.

— Vocês são dois bocabertas. A polícia vai pegar vocês e o troço vai acabar aqui, e eu perdendo o emprego!

Fica quieto um instante, batendo com a palma da mão na mesa. Também os olhos se mexem, tentando fixar alguma coisa que o salve daquilo. É o Elias quem resolve provocar.

— Lembra por que teu apelido era Mangueira?

O Celso acende um cigarro e fica esperando.

— Tu dizia que era porque tinha um pau deste tamanho.

— Mas tu era ladrão de gasolina.

Começamos a rir. O Celso se controla.

— Filhos da puta. A tia Marlene é uma santa, mas vocês dois são uns filhos da puta. Um sempre foi corno e o outro, fedorento. Vocês vão levar os ossos, mas não podem cair em revista de polícia, viram? Vão por onde?

— Pelo Uruguai.

— Claro, mas por onde?

Ficamos em silêncio.

— Puta merda, nem sabem por onde vão! Melhor pegar a estrada que costeia a Lagoa dos Patos, do lado de lá, do mar. É a continuação da 101, aquela que chamavam de Estrada do Inferno. Não tem polícia por lá. O pai costumava pescar na Lagoa do Peixe e nunca ninguém parou ele. Atravessem de São José do Norte pra Rio Grande. Tem uma balsa que faz isso. Depois, sigam até o Chuí, que ninguém vai parar vocês lá. Não tem ninguém no Uruguai. Eu só evitaria Montevidéu. Agora, até a Argentina vai ser complicado. É bom estudar direitinho, que os argentinos param todo mundo. Se virem.

— A gente vai se cuidar. Depois a gente traz o Carlito de volta.

— O que me alivia é que só tem vocês e a tia Marlene de parentes vivos do Carlito. Acho que o único problema é a tia Marlene querer um dia abrir a gaveta. Mas duvido disso. O que ela vai querer é ser enterrada junto. Daí é com vocês: enterrar a tia com o tio e o primo ou enganar ela. Me deixem aí cento e oitenta reais, pra eu pagar as taxas no banco.

O Fernando entrega o dinheiro. Saímos para a rua, e o funcionário traz a caixa sozinho. É um senhor magro, pequeno, com cabelo e barba esfarrapados. Quando o Elias segura a caixa e o Fernando abre o porta-malas, entendemos que o Carlito é mais leve e menor ainda agora, e aquela caixa acentua uma fragilidade que faz o Fernando fechar com muito cuidado a tampa traseira do táxi. Depois, encaramos o Celso, que já fuma outro cigarro.

— A gente vai trazer o Carlito de volta, Mangueira.

— Pra mim tanto faz. Vocês dois já me foderam mesmo!

10
a casa
do Fernando

Quando trouxemos o Carlito para Porto Alegre, não sabíamos ainda onde nosso irmão passaria a noite. Concordamos que não era direito deixá-lo no porta-malas. Ao pararmos em frente ao apartamento do Elias, o Fernando puxa o assunto, dizendo que precisa preparar o carro para a viagem.

— Deixa o Carlito aqui, Fernando. Amanhã vem me buscar.

E repartimos funções: o Fernando não vai trabalhar. Calibra os pneus e lava o carro. Separa roupas quentes, alguma comida e uma necessária com tudo de higiene pessoal. A previsão indica chuva, e por isso ele resolve levar o guarda-chuva enorme, também a capa amarela e as galochas pretas. Atualiza o google maps, estabelecendo a rota, não a que o sistema indica, pela BR-116, mas a rota do Mangueira, pela 101. Sabe que aumentaremos a viagem em quase duas horas. Mas também para o Fernando a rota se mostra mais segura, mais longe da polícia. Só consegue a liberação do telefone para uso fora do Brasil perto das dezenove horas. Troca dinheiro: pesos uruguaios, argentinos, alguns dólares.

O Elias não volta à escola na sexta à tarde, quando tem o turno cheio. Liga para a direção avisando que piorou: está se sentindo mole, muito resfriado, com dores no corpo todo. Suspeita de pneumonia, e o médico recomendou repouso. E a voz do outro lado do telefone pede que o professor tome cuidado, que o frio está derrubando muita gente. Não o Elias: quando desliga, não sente qualquer remorso. Ganha, assim, uma tarde para organizar os dias seguintes. Coloca a caixa do Carlito sobre a mesa, ao lado do hamster, e por instantes fica a olhar para o isopor. Já não é mais uma caixa de picolé. Uma vontade, a primeira do dia, impulsiona-o a levantar a tampa e espiar o irmão. Mas não lhe parece fácil. Deixa o Carlito sobre a mesa e organiza um kit de medicamentos e coisas de higiene. Separa umas roupas. E enquanto carrega a máquina fotográfica, ri pensando que, se não tivéssemos apostado nos cavalos da Onesita, voltaríamos sem nenhum dinheiro da Argentina e talvez tivéssemos que comer por uns dias o que restasse daquelas bolachas e pães torrados que vai levar. Depois sai para comprar um guia de rodovias do Mercosul, com mapas bastante detalhados.

No começo da noite, o Fernando liga, dizendo que tem tudo pronto. E ficamos em silêncio. Sabemos do passo seguinte, mas falamos Até amanhã, combinamos um horário bom para nós dois e desligamos. E enquanto o Fernando toma banho, o Elias liga três vezes. É só na terceira que o Fernando, enrolado numa toalha, atende.

— Não vou conseguir dormir. Não quer tomar uma cerveja?

O Fernando sente o Elias angustiado. Sabemos bem o que aquele convite quer dizer.

— Tá com alguém aí?
— Não. Eu tava só tomando banho.
— A gente podia comer alguma coisa e tomar umas cervejas. Bebe cerveja, né?
— Quando não estou dirigindo, bebo.
— Que bom.

E rimos.

— Vou terminar o banho e vou aí, Elias.
— Não precisa. Só me diz onde mora.
— Moro no bairro Navegantes, atrás do shopping.
— Vou tomar um banho e depois vou aí.
— Precisa de táxi?

Rimos de novo.

— Ô, Elias, eu já termino meu banho. Dá tempo de tu tomar o teu. E eu vou aí te buscar. A gente passa num supermercado e compra umas cervejas e alguma coisa pra comer. Aí tu dorme aqui e a gente sai amanhã cedo. Já traz as tuas coisas pra viagem. Pode ser? Responde aí, que eu tô morrendo de frio, todo molhado assim.

O Elias fica em silêncio.

— Pode. Vou tomar um banho e me arrumar.

O Fernando ajuda o Elias a colocar a bagagem no carro, mas deixa que ele guarde o Carlito no porta-malas. O Elias avisa alguma coisa ao guarda do prédio e entra no táxi. E dirigimos até a zona norte.

Quando o Fernando abre o cadeado da grade de ferro e estaciona o carro sob a lona azul, bem esticada com um arame que lhe dá aspectos de barraca, o Elias antevê como o irmão vive. Tudo é de cimento cru, à exceção de um pé de abacate carregado. O lugar cheira a urina e a fezes de cachorro, expostas em alguns pontos do pátio. E um cachorro preso a um trilho sai da casinha de madeira e corre até o Fernando, que o solta. O cachorro, Feio é o nome dele, pula sobre o dono e depois vai lamber as mãos do Elias. O Elias acaricia o cachorro de pelos irregulares em preto e branco. O Feio está com o focinho ferido e cheira a falta de banho. Ao redor do Fernando, o cachorro geme de felicidade. O Elias analisa a casa do Fernando: é uma casa pequena e velha, de alvenaria, sem área intermediária, um degrau mais alta que o pátio e pintada com tinta desgastada num tom de verde-claro. Parece fechada há tempos.

— O cachorro vai ficar sozinho?
— Combinei com um amigo. Ele vai cuidar da água e da comida.

Enquanto abre a porta, o Fernando diz que recolheu o Feio da rua faz uns cinco anos e brinca, montando a cavalo no cachorro. Carregamos as coisas da viagem para dentro de casa e depois, enquanto o Fernando vai buscar a caixa do Carlito, o Elias vê que o irmão vive sozinho mesmo, sem ligar muito para visitas, que talvez não receba nenhuma. A casa do Fernando por dentro: a sala é conjugada à cozinha, e a única separação é um balcão com bancos. Uma porta para um quarto, outra porta para o banheiro. Tem um sofá gasto, uma mesa de quatro cadeiras, fogão, geladeira, televisão antiga, armário aéreo, pia e muito jornal empilhado sobre um banco. Uma mesinha de canto com um telefone sem fio e um computador. Numa estante de ferro meio guenza, inúmeros cds, discos de vinil, cabos, extensões e uma mesa de som. Nas luzes da cozinha os fios estão expostos, e uma rachadura enorme sai da porta e corre até o canto do teto. Não há plantas, e o único quadro é um pôster do Stevie Ray Vaughan emoldurado. Tiramos das sacolas as compras do supermercado: o Fernando coloca as cervejas no congelador e lava dois copos. Depois pega uma panela e começa a fazer os bifes, enquanto o Elias lava os tomates e a rúcula.

Comemos os bifes com salada e pão, bebendo a cerveja que no começo não está muito gelada e que depois vai melhorando até quase congelar. Conversamos pouco, bebendo muito.

— Nosso irmão tá na mesa.
— Deixa o nosso irmão na mesa. Só encosta a caixa dele na parede.

Dizemos "nosso irmão", e esse "nosso irmão" condensa todas as brigas e risadas, segredos que se oferecem, desavenças de longa cura, as conversas todas da nossa história. E espocam aqui e ali as pequenas felicidades, imagens fotografadas e não fotografadas que se levantam, que deitam, frases escritas em cadernos, sacanagens deixadas no espelho, junção de ações disparatadas que um e outro cometeu, tudo o que vem e vai e volta ao silêncio. Mas também, quando dizemos "nosso irmão", imaginamos um lugar onde nós dois somos inéditos. O Elias, por exemplo, se dá conta de que, pela primeira vez, vem à casa do Fernando. E é a primeira vez que o Fernando cozinha para o irmão. É como se um sentimento bobo estivesse nos dizendo que estamos os três a comer bifes com pão e salada e a beber cerveja.

— A casa é tua?

— Comprei faz uns sete anos. Dei uma reformada no telhado. Pretendia reformar tudo de uma vez, mas não anda sobrando muito dinheiro.

— Quando a gente foi na mãe, não parei de lembrar do quarto que a gente dividia.

— Eu também: fiquei revendo o Carlito pulando mulher pela janela. Era muito corajoso.

— Eu não me acerto. Tem uma professora do colégio, Mariana. A gente já namorou. Agora a gente só sai de vez em quando. Falei só pra ela que eu não tava doente, e contei que a gente ia viajar. Contei tudo: até do Carlito. Tem alguma namorada?

— Tem uma mulher que vem de vez em quando aqui.

— Quem?

— Ela não conseguiu se separar legalmente do marido ainda. Tem uma filhinha. É lá de Guaíba.

— Conheço?

— Não, não conhece.

— Qual é o nome?

— Ana.

— Só Ana?

— Tu não conhece.

— Conheço muita mulher em Guaíba, o Elias ri.

— A Ana não te conhece.

— Falou de mim pra ela?

— Depois que a gente decidiu viajar, sim.

Ficamos pensando. O Fernando parece preocupado:

— Olha: pensei bastante na viagem amanhã. A gente pode se estressar no caminho.
— Pode.
— Por isso acho que a gente tem que curtir a viagem, parando bastante. Até porque só eu dirijo. Vai ser cansativo.
— Quando quiser parar, para. Sei que a gente vai conseguir chegar na segunda-feira na Argentina. Ó: a única coisa que eu vi é que saem barcos em vários horários de Sacramento até Buenos Aires.
— Tenho medo de não conseguir.
— Confio em ti. O Carlito foi o teimoso que quis porque quis voltar de moto pra casa com aquele temporal. Tinha que acontecer, aconteceu. Nenhum de nós tinha como saber se ele tava em casa, se tinha voltado, pra onde tinha ido. Daí, estourou tudo aquilo.

O Elias tinha usado aquele "nós". O Fernando sentia que o irmão mais novo entrava no carro do Dr. Miguel na noite de chuva, com aquele frio antecipado, e procurávamos pelo Carlos, suspeitando de que ele tivesse saído do asfalto. Naquela noite, íamos de Porto Alegre a Guaíba, e voltávamos e íamos de novo. Só depois tomávamos uma decisão: ir aos hospitais para ver se o nosso irmão tinha chegado lá. Mas não era verdade isso. Só o Fernando dirigiu. E só o Elias estava no hospital quando o Carlos morreu.

— É que tu me chamou pra dirigir, entende?

— Chamei porque tu é meu irmão. E era irmão do Carlito. Esquece o resto. Amanhã a gente vai sair cedo e cuidar os horários juntos.

— Tá bom. Tu vai ter que me ajudar com as rotas.

— Deixa comigo. Comprei uns mapas e estudei tudo. Na minha cabeça a gente vai direto até Sacramento. Daí evitamos Montevidéu por causa da polícia. Deixamos o carro lá e seguimos de barco então. De Sacramento já me disseram que dá pra passar com bagagem de mão nos barcos de linha.

— E dá pra passar com a caixa?

— Vai dar.

Estamos leves. Mas o Elias busca as duas últimas cervejas e ficamos bebendo mais. O Fernando liga o computador e põe Joe Satriani para a gente escutar. Mostra um álbum com fotografias escaneadas. No chão do quarto antigo, nós três jogando war. E há fotos só do Fernando, com uns três anos, de cueca, lá no norte de Goiás. Há uma série de fotos do Seu Liandro e da Dona Marta. Numa delas, o Liandro e dois homens puxam com uma corda um voyage coberto de lama. A Dona Marta assiste a tudo, suja de barro até os joelhos. O Elias já não lembrava do rosto da mãe do Fernando e fica impressionado com a semelhança entre as caras índias da mãe e do filho. Na maioria das imagens aparecemos os três juntos. E depois, algumas em que só nós dois brincamos. O Elias pega o celular e programa uma foto em que posamos junto à caixa onde está o Carlito. Olhamos bem, e não temos aquele olhar de cavalo. É direto, pra frente. Não parecemos nós. Depois o Fernando traz travesseiro e cobertor para forrar o sofá. Deixa um lençol sobre uma cadeira.

— Não tenho outro quarto. Vai ter que dormir na sala. O banheiro é ali, ó. Vou deixar a porta aberta. Se precisar alguma coisa, diz aí.
— Não tem um ventilador?
— Tá brincando?
— Não consigo dormir sem o barulho do ventilador.

O Fernando traz o ventilador e coloca na tomada, sobre um banco, de frente para o sofá. O Elias vai lavar a louça.

— Aí, Fedor, não anima mais festa?
— Durante um tempo eu ainda fazia uns bicos. Mas hoje não dá pra fazer quase nada sem equipamento. Tenho só um monte de músicas. Coloquei umas num pendrive pra escutar na viagem.

Não conseguimos dormir, apesar de chumbados pela cerveja. Ficamos lembrando o quarto pequeno, a cama do Carlito e o nosso beliche. O roupeiro de madeira escura, enorme, desproporcional em relação ao quarto, era uma caixa a exalar aquele cheiro invencível de coisa velha. O roupeiro tinha mesmo uma fisionomia de confessionário: uma rodela com furinhos de microfone em cada porta, como se falasse, como se escutasse. No roupeiro as revistas de mulher pelada, a descoberta de uma calcinha que uma guria tinha dado de presente para o Carlito, dinheiro escondido, alguma camisinha e, sob as roupas nos cabides, um lugar onde se esconder. Fugíamos para dentro do roupeiro, o Fernando e o Elias, cada um na sua vez, das investidas do pai e da mãe. O Fernando revê a imagem que tanto o assustou: o Carlito com uma mulher que tinha pulado a janela, e ele imaginando que uma nossa senhora rezava sobre o irmão. Tinha contado isso para a mãe e o pai, e o pai gritou que a casa não era motel. Ameaçou tocar as coisas do Carlito na rua e pregar a janela. O Carlito, puto da cara, esperou o Fernando sair do colégio e o encheu de pontapés.

Chove forte, e o Elias tem um susto: imagina que dentro da caixa tem qualquer coisa que não o irmão. Quando acende uma luz, o Fernando sai do quarto.

— Que foi?
— Não acha que o Mangueira pode ter sacaneado a gente?
— Tu não olhou dentro da caixa?
— Não.
— Por que não?
— Não sei.
— Vamos abrir?

— Vamos.

Na luz fraca, vemos um saco plástico azul, com uma etiqueta. Está preso com um lacre, mas dá pra ver volumes. Nenhum de nós o toca e ficamos por um momento só respirando. Para o Fernando, o Carlito parece estar encolhido de frio. Para o Elias, o nosso irmão apenas dorme. Por um motivo ou outro, fechamos a caixa. Apagamos as luzes e, com medo de nós mesmos, tentamos dormir.

11
manhã de sábado

E saímos de Porto Alegre ao amanhecer, seguindo por Viamão em meio a poucos carros e um resto de umidade. No céu, muitas nuvens unidas, e a promessa de chuva acima dos pontos vermelhos do horizonte.

Longe de nós três, depois do asfalto, da areia, de tanta nuvem carregada, da água doce e do mar, do mato e dos bichos, sempre o frio. Nós, que nunca viajamos juntos, que só conhecemos Brasil (o Elias menos que o Fernando), pretendemos em três dias atravessar três países só para assistir a uma corrida de cavalos. E queremos fazer tudo isso aproveitando cada detalhe, embora, em segredo, cada um se sinta em fuga. À exceção, claro, do nosso irmão mais velho: no porta-malas do táxi, na paz do isopor e do escuro, o jóquei corre para que seu cavalo chegue à frente.

O Elias abre os vidros e respira fundo o vento

gelado. Choveu durante a madrugada, ele recorda pelo barulho que a água tinha feito no telhado e na porta da casa. Mesmo com o vidro do carona aberto e a cara do Elias quase pra fora, em Viamão, por duas vezes, pessoas tentam parar o táxi, e o Fernando dá um sinal de luz e faz um gesto negativo.

Ao sairmos de Viamão, o peso das nuvens é enorme e, sem que pingos menores anunciem, a chuva volta inteira, pesada. O Elias é obrigado a fechar o vidro. Depois, sentindo-se sufocado, liga o ar-condicionado. O Fernando reduz a marcha, põe os limpadores no máximo. Mas dentro do táxi os vidros começam a embaciar tanto que o Fernando precisa parar. Pede que o Elias ache um pano no porta-luvas. Limpamos cada qual o seu lado do para-brisa. O borrão de uma moto passa em alta velocidade, e a luz vermelha logo desaparece na chuva. Acovardado, o Fernando sente que precisa explicar alguma coisa ao irmão.

— Loucura um cara correr desse jeito, ainda mais de moto. Prefiro esperar acalmar um pouco.

— Espero que não chova assim durante a viagem toda.

— Vi que ia chover certo hoje. E fazer muito frio. Não me importo com o frio. Mas, se for uma viagem inteira com chuva, vai ser uma tortura.

— Eu podia saber dirigir, daí a gente revezava.

— Aguento esta viagem, não dá nada. Vai ser melhor assim.

— Assim como?

— Se não sabe dirigir, pega um táxi.

— Tá querendo dizer que, se eu soubesse dirigir, talvez eu não te convidasse pra ir junto comigo?

— Ô, Elias: acho que a gente já combinou tudo isso, não combinou? Então vai ser melhor a gente manter a calma.

— Fica tranquilo. Tu dirige, que eu te obedeço em tudo. Eu sou o irmão mais novo. Mas tu não tá aqui só porque tem carro e sabe dirigir.

Ficamos parados um tempo. O Elias respira o ar da fresta que deixou no vidro. O Fernando mexe no celular.

— Quer ligar pra alguém?

— Não, estou tentando fazer o google maps funcionar. Tá estranho.

— É a chuva. Tô com o mapa aqui. Em Capivari a gente vai pegar à direita pra Palmares. Depois, até São José do Norte, é sempre reto. Não tem erro.

A chuva pipoca na lataria de modo intenso, crescente. Depois, vai diminuindo. A voz do google maps volta a funcionar. É quando resolvemos seguir viagem. A voz sugere um caminho com o qual o Fernando não concorda. O Elias não confia na mulher do celular e diz ao Fernando para escolher por onde acha melhor. O aplicativo insiste em nos mandar para Glorinha. O Fernando segue por Capivari, Palmares, rodovia do Mercosul. A voz do telefone segue incomodando o Elias, e ele põe o celular do Fernando no mudo.

Com o sol já vencendo a chuva, enfrentamos um asfalto muito ruim, que começa a se mostrar seco em alguns pontos. Também a paisagem muda: rodovia apagada e estreita, buracos imensos e, para onde quer que olhemos, muito campo queimado pela geada, pinheirais, butiazeiros, açudes, plantações de arroz, silos, gado. Casas, igrejas e escolas, tudo é feito de madeira. No contraste, torres de energia eólica e paradas de ônibus que imitam silos de zinco. Na beira da estrada, pouca gente indo e vindo de bicicleta. E, de vez em quando, galinhas soltas no acostamento.

— Já me disseram que não vamos achar posto de gasolina deste lado. Daí temos que abastecer em Rio Grande. Depois, só em Santa Vitória.
— Sente o cheiro da Lagoa dos Patos?

O Elias tinha aberto o vidro de novo.

— Sinto um cheiro diferente, mas pode ser do mar. Viu aí no mapa? A gente tá nessa ponta de terra entre a lagoa e o mar. Depois vai ficar mais estreito.
— É, é uma cancha reta.

Mas fazemos ziguezagues constantes para evitar os buracos que se multiplicam na estrada. O Fernando vai explicando umas coisas do carro, passando um pano no vidro e o Elias vai ficando tonto, até pedir pra parar. Descemos do carro num acostamento coberto por capim alto. O Elias vai até o mato, respira muito, mas se ajoelha e começa a vomitar. O Fernando busca um pano e só encontra o de limpar o para-brisa. O Elias está branco e já se sentou no chão. Quando o Fernando aproveita para mijar, pássaros pretos revoam e vão para as árvores. São muitos. Sobe uma fumaça intensa de urina.

— Porra, Fedor! Tu ficou tocando o carro de um lado pro outro... e acho que eu fixei o olho nos buracos. Foi me dando uma coisa.
— Fazer o quê? Se eu ficar passando por cima dos buracos, acaba a viagem. Olha pra cima, que melhora.
— Que olhar pra cima, nada. Deixa eu vomitar.

O Elias vomita de novo. O Fernando busca água.

— Enxágua a boca.

E o Elias enxágua.

— Vê se dá pra dirigir sem serpentear tanto o carro!
— Por que tu ainda acha que é fácil dirigir isto aqui?
— Eu não disse isso.
— Mas é o que deu pra entender.
— Desculpa então.

A novidade desarma o Fernando. Vê o irmão sentado no chão, os sinais da náusea jogada pra fora do corpo, e também quer pedir desculpa por qualquer coisa. Então, levanta o Elias, perguntando se ele já se sente melhor. O Elias não responde.

O Fernando testa o telefone, sem conseguir sinal. O Elias caminha um pouco olhando pra cima. Depois, dizendo que está melhorando, vai buscar a máquina e começa a fotografar passarinhos, já menos irritado, como se aquilo que o incomodasse fosse o estômago mesmo.

— São pássaros-pretos, olha só que bando! Vivem naquelas plantações de arroz ali. São um problema pros arrozeiros. Olha: parece uma nuvem preta. Fernando, vai lá e espanta eles. Quero tirar uma foto deles voando.

E o Fernando vai. Pontos pretos preenchem o ar, e ele ergue os braços para algumas fotos. Depois o Elias mostra e o Fernando se demora olhando, comentando que ficou de lado em todas as imagens. Então o Elias o pega numa foto à queima-roupa. Mas é a foto de um susto, porque o Fernando sai de olhos fechados. E ele não aceita repetir.

Voltamos à viagem em silêncio, ainda desviando de buracos, com o Fernando um pouco mais cuidadoso.

— Lembra bem da tua mãe, Fernando?

Surgiram alguns fios brancos na cabeça, e Dona Marta pinta os cabelos. O Fernando pede que ela pinte os cabelos dele também, mas a mãe diz que ele precisa envelhecer primeiro. Ela reclama que está velha, mas ele não viu a mãe mudar tanto assim. O Fernando continua olhando a mãe: com a pergunta do irmão, pensa que tudo é eterno na infância, pois quanto tempo ficou lá olhando a mãe pintar o cabelo?

— Bonito isso. Lembra mais alguma coisa?

— Minha mãe fazendo arroz com pequi, lá em Guaraí, ou ela dançando forró, ou lavando roupa na tábua do tanque. Mas sempre vem essa imagem da minha mãe pintando o cabelo. Muitas vezes eu pensei uma coisa: que ela ia pintar o cabelo por anos, até que o meu pudesse ser pintado também. Mas isso se ela tivesse saído daquele hospital.

— Lembro da tua mãe fazendo pamonha pra festa de São João, ou trazendo bolinho de chuva pra turma que estava brincando no pátio da casa de vocês. Depois, a mãe dizendo que a Dona Marta tinha ido pro hospital. Era abril ou maio, não lembro direito, e que tu ia dormir lá em casa por umas noites. Acho que foi durante uma Páscoa em que ganhamos brinquedos e não chocolate. Lembra da tua mãe no hospital?

— Daí não me lembro. Não sei se é a idade, mas a tendência da gente é apagar a pessoa da situação ruim, como se — eu, por exemplo —, quisesse proteger a minha mãe. Por isso a gente culpa.

— E culpou quem?
— As pessoas do hospital. Na época a minha mãe tinha morrido, e pra criança tudo parece natural. Depois, a gente vai crescendo. Eu vivi com aquela história de que os médicos deixaram ela morrer lá. O pai disse que eles sabiam da doença dela, da pressão alta e do problema no coração. Que ela precisava fazer uma cirurgia, e eles foram adiando. Foi assim que eu fui apagando a doença e acabei pensando nas pessoas que não fizeram nada pela minha mãe.
— Isso eu recordo: muita gente disse que os médicos deixaram ela morrer porque o pai Liandro denunciou um que queria cobrar um pagamento extra, mesmo com o plano de saúde cobrindo tudo.

Ficamos tristes, e a viagem se cala. Só mais adiante, olhando o mapa, o Elias indica que uma estradinha à esquerda, dali a pouco, leva até o Farol da Solidão.

— Quer ir ver?
— Quero, mas é tu que tá dirigindo.

12
Farol da Solidão

Surpreendentemente a Praia da Solidão é uma vila maior do que tínhamos imaginado. As casas, a maioria de madeira, são improvisadas e, pelos barcos e equipamentos atirados nas ruas, pertencem a pescadores. Poucas casas estão pintadas, e um cinza de maresia cobre a vila inteira, explicando a ferrugem nos arames e nos pregos. Já as casas de alvenaria e com varanda provavelmente são de veranistas. Muitas delas estão com a luz de visita acesa.

Por todos os lados, muita areia, pinheiros magros. Ninguém aparece. Só cachorros.

— Ô, Elias, que paisagem mais triste.
— É mais um lugar esquecido, abandonado. Mas não parece triste.
— E o que é triste pra ti então?
— Só sei que não me passa tristeza. Passa sossego.

— Sossego e frio. Vontade de um café.

Procuramos algum armazém aberto até que o Elias pede ao Fernando que pare.

— Olha lá, escorado na cerca.
— Que é aquilo?
— Um baita osso de baleia.
— Aquilo lá é um osso?

O Elias vai se aproximando da cerca e, quando o Fernando chega, o Elias já está no pátio tocando o osso.

— É um osso, viu?

Sim, mas o Fernando ainda olha de longe. O osso, uma vértebra, tem quase o nosso tamanho. Como o Elias insiste, o Fernando agarra o osso também e fica sentindo o frio que aquele bloco cinzento, oco de vida, retém.

Voltamos ao táxi para procurar um bar ou padaria e não achamos. Seguindo por uma rua coberta de capim, acabamos na praia. O mar está revolto, e o vento intenso sacode o carro. Dali avistamos pescadores recolhendo uma rede com uma camioneta sem portas. O Elias pega a máquina fotográfica e vai ver de perto. Eles são cinco e acabaram de puxar a rede, e o Elias não precisa muito para entender o que está acontecendo, que uma foca se enrolou na malha. É negra, enorme, e mostra os dentes em defesa. Dois dos pescadores tentam soltá-la, mas a situação vai piorando. O animal se debate e, por mais que segurem a rede, a foca se mostra pesada e forte demais para eles.

O Elias tenta conversar com os pescadores, dizendo que eles precisam cortar a malha. Mas ninguém responde. Estão mais preocupados com a rede e tentam virar a foca para que ela se desprenda. Mas a foca fica então mais enrolada, com uma nadadeira dobrada pra trás da cabeça. Eles praguejam que ela vai estragar a rede. A foca faz um barulho insistente de sofrimento e, quando a sacodem outra vez, ela vomita. O Elias tenta ajudar e insiste que não tem jeito a não ser cortar a rede. Um dos pescadores, o mais velho à primeira vista, o empurra. Depois, vai até a camioneta. Outro pescador o segue, e o velho volta com um pau comprido com três pregos grandes expostos na extremidade. O outro traz um facão. O velho vai até a foca. O Elias pressente o que eles vão fazer e se mete na frente, tentando arrancar o pau das mãos do velho. Outros dois pescadores pegam o Elias e o empurram. O Elias parte pra briga.

Mesmo afastado, o Fernando entende tudo. Vê a coisa grande na rede e percebe que o Elias deve estar defendendo um bicho. Lembra-se da única vez em que tínhamos, os três irmãos juntos, brigado por alguma coisa. Estávamos numa casa noturna de Guaíba, às margens da BR-116. Talvez só o Fernando tivesse percebido que as três gurias com quem ficamos tinham sido fáceis demais. Falou para os irmãos aquilo, e eles o chamaram de goiano cagão. E então o cerco na saída: as gurias tinham escolhido nós três para causar ciúmes nos namorados. Eles encurralaram o Elias, e o Carlito se mostrou maior que o tamanho para brigar com os três. Outros caras apareceram, o Carlito e o Elias iam apanhar feio. O Fernando era o maior de nós três e foi por isso que, quando apareceu, os caras se concentraram nele. O Fernando recorda bem da decisão de ir apanhar junto com os irmãos. E apanhamos. Voltamos pra casa com as caras machucadas, o Carlito com dedos da mão direita esfolados, orgulhoso por ter arrebentado os dentes de alguém. O Elias pingava sangue do nariz, e o Fernando sentia o braço e os arranhões profundos no pescoço. Mas agora é diferente: o Fernando vê o pescador apontar o facão para o Elias e entende que ali, naquela praia, vai ser preciso ir lá e segurar o irmão.

O velho pergunta se o Elias tirou alguma foto, e o Elias diz que não. Então o pescador do facão diz para o Fernando levar o baixinho embora, e o Fernando arrasta o Elias até o carro e o senta no banco do carona. Depois, senta ao lado dele. O Elias está descontrolado.

— Covardes, vão matar a foca. Tem um velho com um pau cheio de pregos compridos. Um bandido. A gente tinha que ter trazido um facão. Não ter um facão é que é tristeza pra mim.

O Fernando tem um facão no porta-malas, mas prefere segurar o Elias. Juntos, ficamos ouvindo os gritos do animal, com uma sensação pesada de impotência. Então olhamos para eles mais uma vez e vemos quando o velho ergue o pau e começa a bater. Os gritos de agonia ficam mais intensos e, mesmo de longe, imaginamos a foca tentando fugir para qualquer lugar, e a rede a impede, e o velho vai batendo até o fim.

— Vocês não têm respeito, não respeitam nada!

Mas o Elias grita em vão. Os gritos da foca também vão diminuindo, e risadas, julgamos risadas de bêbados, preenchem o ar. Estão rindo da foca e de nós. O Fernando dá partida no carro. Precisa tirar o Elias dali e dirige sem saber para onde.

— Covardes, filhos da puta!

O Elias não para de gritar. O homem do facão ameaça vir até o carro, mas o Fernando já deixa a areia.

— A gente não pode fazer nada. Esquece. Vamos tentar tomar um café em algum lugar daqui. Deve ter um boteco ou padaria onde aqueles cornos comem.

— Não quero comer onde aqueles cornos comem. Só tu pra esquecer um troço desses.

A frase dói no Fernando, mas seguimos pelo labirinto de ruas que mais parecem atalhos ligados uns aos outros. Se há um armazém onde os cornos comem, está fechado e não tem placa. O

Fernando desce para ver um lugar onde estão empilhadas mesas e cadeiras de plástico. O vento sopra forte e, quando o Fernando se vira para o mar, já o Elias caminha até o farol.

Tínhamos esquecido o farol. Não é enorme, como imaginava o Fernando. Todo pintado de vermelho, contrasta com o azul da manhã. Não tiramos fotos e ali, ao pé da torre, sentamos. Dá pra ver os pescadores na praia. Já recolheram a rede. Um deles leva baldes de peixes para a caçamba da camioneta. Os outros, só imaginamos o velho e o homem do facão, atiram o corpo negro ao mar, como se fosse um saco de lixo. E vemos a camioneta partir. Apesar do mar parecer menos marrom a distância, são as nuvens, ralas, as únicas a darem alguma esperança à viagem. O Elias segura o choro. O Fernando sabe que é de raiva. Fecha os olhos e fica sentindo o vento frio. O Fernando não viu a foca de perto, nem sente aquela coisa que o Elias sempre falou dos olhos dos bichos, e talvez isso o deixe mais calmo. Entende o irmão que gosta dos bichos mais até que das pessoas. Pensa na briga antiga e na felicidade que o tinha impedido de dormir naquela noite. Faz o Elias se lembrar também: tínhamos ido à festa escondidos e por isso nos lavamos na mangueira do pátio de casa, quase em silêncio. O Carlos ria baixinho, dizendo que só a briga tinha valido a pena, que as mulheres eram feias pra dedéu. E fez que colocássemos o nariz nos dedos machucados dele: tinham ainda um cheiro de mulher sem banho. E lutamos para parar de rir, ajudar o Carlos, que não conseguia usar a mão direita, a entrar pela janela. Sem acender a luz, fomos tentar dormir, loucos pra falar mais e mais daquela nossa única briga juntos.

Muita coisa já está começando, o Fernando pensa. Olha para o Elias, que fechou os olhos — para não ver o mundo ou pensa ainda em ir brigar na praia? Mas o Elias não pensa em nada. Apenas sente o calor vermelho do sol nas pálpebras e respira com gosto. O Fernando então sorri para a praia, com a certeza de que, se o irmão mais velho estivesse ali, uma briga enorme teria acontecido, e talvez alguém perdesse a vida ou a foca estivesse salva. Sente-se covarde também.

— Tivesse onde tomar banho pra tirar o sal, eu entrava na água.
— Tá louco, Elias? Vai congelar num frio destes.
— Traz o Carlos pra cá.
— Quê?
— Traz o Carlito aqui.

O Fernando vai ao carro, busca a caixa e a coloca no meio de nós dois. Sentados, olhamos o mar. Quem nos visse da praia pensaria que éramos dois amigos bebendo cerveja. Então o Elias tira a tampa e vira a boca da caixa para o vento. Uma música feita de chiados amplia o que imaginamos. E permanecemos ali, olhos fechados, cada um lembrando as brigas da sua vida, histórias que sempre invadiam a vida do outro. Porque o Carlos devia estar nelas, brigando ao menos com o ruído do mar que ecoa no fundo do isopor. Mas é tarde. A foca estraçalhada vai amanhecer na praia dos brutos, é isso.

Voltamos ao táxi e dirigimos em direção à saída. Passamos ainda por uma casa onde a camioneta está estacionada. Numa cadeira armada no pátio, o velho fuma um cigarro, enquanto um menino e uma menina limpam peixes. O velho se levanta quando nosso carro passa. Dessa vez o Elias não grita nada. Fica olhando a rede enorme que os pescadores tinham pendurado na cerca para secar. É uma rede de malha fina. Não tem nenhum furo.

— Ainda bem que eu vomitei antes, o Elias gospe.

13
São José
do Norte

Voltamos à viagem em silêncio, buscando um lugar onde parar. Temos receio, talvez, de discutir sobre os homens da praia, a rede, os gritos da foca, que toda a impotência sentida possa virar culpa de um de nós. Mas talvez seja só fome.

Numa lancheria de nome 101, tomamos café e comemos pastéis. O Elias mede o percurso por tempo e, assim, a sensação é de que andamos muito. O Fernando olha o mapa. Calcula com o olho e os dedos o trajeto até Colônia. Vê que mal saímos do lugar. Mesmo assim, com a estrada praticamente só nossa, afiança que vamos chegar a São José do Norte perto do meio-dia.

De volta à estrada, é impossível não reparar na paisagem, que vai mudando: além das árvores mais baixas, da invasão dos pinheiros e da areia, mais de uma vez avisos de proibido pescar e gente pescando. Uma placa indica que entramos na área do Parque Nacional da Lagoa do Peixe, em Tavares. Bichos: um cercado repleto de emas, como uma fazenda, cardeais que o Fernando acha que são pica-paus, e muita cara malvada dos carcarás pousados sobre postes, palanques, arbustos. Patrulham o banhado, o Elias explica. O Fernando repara que os olhos dos carcarás realmente buscam o que caçar e quer saber se é verdade que eles arrancam os olhos das pessoas, mas acontece aquilo: um gavião, bem menor que os carcarás, não sabemos se deixou cair ou se está atacando, vem pousar no asfalto, e vemos quando tenta erguer uma cobra.

— Para o carro, Fernando.

Encostamos. O Elias vai ver, e o gavião voa. Quando o Fernando chega, o Elias já está muito próximo da cobra, uma cobra de tom marrom-claro, com desenhos mais escuros que lembram o naipe de paus. Parece ferida.

— É venenosa?
— É uma jararaca. Quase filhote ainda.

O Elias pega dois gravetos não muito compridos e mexe na cobra. Está viva e se mostra agressiva alargando o corpo próximo à cabeça. E então, tentando fugir, vai em direção ao meio da pista.

— O gavião viu ela atravessando a estrada?
— Pode ser também que o gavião tenha trazido a jararaca pro asfalto, pra ela não ter como escapar.

O Fernando procura o gavião e não o acha mais nas árvores. Alerta, então, o Elias de que um carro vermelho vem em nossa direção. Com os gravetos, o Elias ainda tenta tirar a jararaca da estrada até o último instante. O motorista percebe a cobra no asfalto, faz uma manobra e passa por cima. A cobra se revolve toda. Parece morder a si mesma.

— Aquele carro atropelou a cobra por querer, o Fernando diz.

E o Elias, com os dois gravetos, traz a cobra até o acostamento. A jararaca se contorce agora mais lentamente, mostrando a barriga clara, até que só a ponta do rabo continua se mexendo de um lado a outro. Abrindo a boca da cobra com um dos gravetos, o Elias expõe para o Fernando as presas do bicho. É a primeira vez que o Fernando vê aquilo. E fica escutando o irmão, que sabe as coisas e sabe explicá-las. Olhando o Elias inclinado sobre a cobra, o Fernando admira nele o respeito pelo animal em última agonia. E então o Elias toca na cobra. O Fernando quer ver como é e, confiando no professor, cria coragem: a pele da jararaca não é áspera como ele achava. Seguindo o sentido das escamas, é uma superfície lisa, suave até, e fria. A ponta do rabo mexe um pouco mais forte, e o Fernando recua. Mesmo depois de morta, a dor ainda se mexe dentro da cobra, e é também a dor balançando o rabo de um lado a outro. É assim que o Fernando entende.

— Tomara que pelo menos o gavião volte pra comer a cobra.

— Ele não vai aparecer, Fernando. Gavião é uma ave de rapina: come o que ele mesmo caça e não bicho morto. É uma pena.

O Fernando fica sem saber se a pena é a cobra morta ou o gavião não comer a cobra, e então aceita que podem ser as duas coisas. Só depois que o Elias fotografa a cobra, seguimos viagem.

— Essas coisas dos bichos, lembro que muitas delas tu já sabia antes de ir pra faculdade.
— Sempre me interessei.
— Aprendeu sozinho?
— Um pouco. Mas acho que no começo foi com o pai. Ele sabia bastante de cobras, aranhas, tubarões, jacarés. Parece que era atraído pelos animais que causam algum medo na gente.
— E daí tu foi estudar isso na faculdade?
— É. Acho que a gente aprende primeiro com as pessoas com quem a gente convive. A gente tira de casa o que precisa ser estudado. Geralmente é o que a gente não entende.
— Lá em Guaraí, vi uma vez uma surucucu. Nunca me esqueci. Tinham matado a cobra que se embrenhou no meio das lenhas. Foi a maior cobra que eu já vi. Era laranja e preta, da grossura do meu braço. Falaram que mordia forte que nem cachorro, sem soltar.
— Nunca vi surucucu.

— Pois é. Eu vi e não quero estudar nunca um bicho daqueles.

— Vai ver o teu pai também não gostava de cobra, daí tu nunca te interessou.

— Acha que a gente teve sorte de tu ter dois pais, e eu, duas mães?

O Elias olha o mapa. Estamos num resto de Tavares. Depois será Bojuru, Estreito, São José do Norte. O Fernando insiste. A pergunta soa bonita sem resposta.

Encontramos a cidade alagada. O canal da Lagoa dos Patos parece ter subido. Nas ruas mais costeiras há barcos como que estacionados. Em frente a um enorme casco inclinado onde mergulhões tomam sol, um fusca está com as rodas submersas.

Dirigindo com cuidado, o Fernando para numa parte menos alagada, em outra esquina, onde um idoso de boina, casaco de lã, bombacha e chinelo de dedos estica uma taquara de uns dois metros até a água. Entendemos que quer trazer de volta ao pátio alguma coisa que a lagoa tinha tomado. Farejando a umidade, um cachorro de pelo irregular o acompanha. O Fernando desce, seguindo por uma tábua que leva à parte alta da calçada. Tenta conversar com o homem, mas em vão. Grita para o Elias:

— Ou parece surdo ou não fala a nossa língua.

Tinha perguntado várias vezes ao senhor onde ficavam as balsas para a travessia a Rio Grande, e o homem não lhe tinha respondido: esticava a taquara e lutava para recuperar da água, o Fernando demorou a entender, a tigela de comida do cachorro. É um pote de plástico que boia, ficamos vendo. Quando o Fernando pensa em se aproximar mais, o cachorro late e mostra os dentes. E ainda assim o homem continua a socorrer o pote plástico com a taquara, mesmo depois de ter virado a comida na água — como se o Fernando não estivesse ali.

Quase meio-dia, e estamos com fome. O plano é ver os horários da balsa e depois almoçar em algum lugar. Encontramos mais pessoas numa área que deve ser o centro. Mas perguntamos onde fica a balsa, e todas as indicações falham: voltamos sempre ao mesmo lugar — um busto de coronel ou general em bronze. O Fernando briga com o celular, que não tem sinal, quando o Elias vê a carroça parada e diz aquilo: que vai perguntar ao cavalo. Então o Fernando vê o irmão se aproximar do cavalo magro, de um amarelo sujo, com tapa-olhos. Entende que o Elias tosse, mas que está é cumprimentando o cavalo e que, quando apontar para o táxi, vai contar de onde viemos e para onde queremos ir:

«Nossa ideia é atravessar a balsa para Rio Grande e depois seguir pelo Uruguai até a Argentina.»

«A balsa sai de uma em uma hora. O senhor segue reto aqui e pega depois à esquerda. É uma rua alagada.»

«A gente esteve lá.»

«Pois então: a balsa é mais pra trás. O senhor vai ver uma fila de carros e outra de caminhões. O senhor pode deixar o carro estacionado na fila e ir almoçar.»

«Almoçamos onde?»

«Quem vem de fora almoça sempre no Brisa Mar. Depois que o senhor estacionar, pode seguir caminhando no sentido da fila. Na rua que chega à balsa, pega o sentido contrário, à esquerda. O Brisa Mar fica numa esquina quase no fim dessa rua.»

«Compro a passagem da balsa agora?»

«Não dá. O fiscal só vem uns dez minutos antes. Ele passa de carro em carro.»

«Muito obrigado.»

«Não por isso, senhor.»

Com falta de ar, o Elias volta ao táxi. Indica a fila da balsa, onde estacionamos. Hesitamos ainda em deixar o Carlito no carro, mas o Elias decide: o nosso irmão não pode estar com fome, então não precisamos expor a caixa.

Avistamos os molhes, com muitos barcos de pesca, e seguimos, conforme indicação do cavalo, até a esquina onde fica o Brisa Mar.

— O cavalo te indicou tudo isso?

— Falou até que a comida era boa.

— Vamos ver então, o Fernando ri, abrindo a porta.

Não temos muito tempo: escolhemos uma mesa e nos revezamos para um ir ao banheiro enquanto o outro cuida nossas coisas. É um bifê de frutos do mar. Servimos pratos quase iguais: postas de peixe frito, pirão, arroz, salada. Então a fome nos aquieta. Ficamos comendo, sabendo um do outro, que estamos pensando na viagem mais ao sul com a dúvida se a alegria de estar fazendo aquilo é comum a nós dois. O Elias é o primeiro a terminar e levanta para ver a coleção de cédulas de dinheiro de vários países, espalhada pelas paredes. O Fernando repete a comida e fica olhando as notícias na televisão, estragos da chuva em Cruz Alta, o Guaíba ameaçando invadir a capital e a previsão de um frio mais seco para o domingo. Pensa novamente no irmão dentro da caixa, no porta-malas do táxi, como que ansioso na fila da balsa. Quem é aquele jóquei que morreu tão cedo e mesmo assim parece nunca morrer? Porque o Fernando é taxista e está dirigindo para ele rumo ao sul e retomamos a antiga fala: Se eu for à Argentina, tu podia dirigir, e a gente ia de carro. Já tenho carteira, só que nunca dirigi no exterior, Carlito. Então vai dirigir, porque eu já consegui até o carro, e a gente fica lá, num hotel qualquer, e, se eu ganhar a carreira, a gente sai pra comer alguma coisa de rico, que tu acha? Não conheço nada na Argentina. Nem eu, mas com um mapa tu consegue dirigir até lá, Fedor? Consigo, mas preciso avisar o Dr. Miguel, pedir uns dias pra ele. É cagão mesmo, né, Fedor? Mas, Carlito, e o Elias? O Elias não dirige, e eu preciso de alguém que dirija. Mas ele é que entende de cavalo, Carlito. Sei que ele vai ficar puto, mas não vai dar pra levar o Elias, nem mesmo escondido no porta-malas. Por quê? Porque a gente vai levar a Onesita junto.

14
Lagoa dos Patos

Perto das treze horas já estamos entrando na balsa, depois do Fernando temer que o carro não vença a área alagada para subir as rampas, primeiro a de concreto e depois a de ferro.

Estacionamos na fila da esquerda, de onde podemos ver as casas de palafita e o colorido dos barcos de pesca e de passageiros. Prédios antigos têm vista para o outro lado da lagoa, e Rio Grande se mostra maior do que supúnhamos. Aos poucos, somos cercados por caminhões e entendemos por que os outros passageiros também deixam os carros para acompanhar a viagem de fora. Escutamos os últimos caminhões entrarem, vozes dando ordens. E por fim o motor da balsa se mistura com os rumores da lagoa.

Enquanto o Elias tira fotos de São José do Norte, que vai ficando pra trás, o Fernando não se sente tranquilo: olha a estrutura da balsa, no mínimo duvidando de que ela possa mesmo aguentar o peso. Caminha entre os carros até o outro extremo, onde estão os caminhões. Não gosta das marolas fortes que levantam da água, e foca nas marcas distantes de Rio Grande — gruas amarelas e laranjas do porto formam uma paisagem que balança menos. Bem no fim da balsa avista um carro que transporta, num reboque, um cavalo muito magro e embarrado, com manchas pretas na carne, visíveis sob o pelo branco meio arrepiado. O animal vira a cabeça para olhar o Fernando e mostra os dentes muito nítidos no contraste com a boca negra. E tosse. O Fernando se aproxima e fica de lado, olhando o cavalo. Vê um medo de água que o bicho compartilha e se espanta com aquilo. Tenta passar a mão pelas crinas, mas o animal se mostra arredio. Decide chamar o Elias, que lhe passa a máquina fotográfica e vai alisar o bicho e perguntar ao dono se é cavalo ou égua, e é égua, não tem nome porque ganhou há dois dias. Por causa da chuva, resolveu buscar a égua só hoje de manhã. E o Elias se aproxima mais dela, passa a mão no chanfro. A égua tem orelhas cabanas que tremem de frio. O Elias tosse, e ela afia os dentes de nervosa. O Fernando enquadra a máquina fotográfica e vê o irmão se encostar no reboque e inclinar a cabeça para a égua. Ela também se inclina e cobre totalmente a cabeça do Elias, que se faz cavalo num curto instante. Uma fotografia. E antes que o Fernando pergunte, já o Elias fala, sufocado:

— Joana é o nome dela. Tão novinha e já sofreu tanto na vida.
— Todo cavalo sofre, não sofre?
— Como assim?
— Elias, tu sabe que eu nunca gostei muito das corridas porque acho que os cavalos sofrem com aquilo. Não parece natural. Não lembra um cavalo que morreu no Cristal, de ataque cardíaco?
— Foi esgotamento. Doparam o bicho. Os proprietários tinham que ir pra cadeia.
— Como é? Maltratam muito os cavalos no treino?
— Cavalo maltratado não corre bem. O cavalo tem que estar feliz.
— Mas, mesmo sem drogas, não acha que os cavalos sofrem correndo?
— É do instinto deles correr.
— Mas acha que todo cavalo gosta de correr, assim, obrigado?
— Tem uns que não gostam. São tirados logo da pista. Mas a maioria gosta. É um esporte pra eles também. Melhor que trabalho pesado. Essa aí, por exemplo, vai trabalhar até morrer.
— Será que pros jóqueis e pros cavalos de corrida o esporte não é engolido pelo trabalho também?
— Pode ser. Mas no caso da Joana é solidão mesmo. Ela vai pra Jaguarão puxar uma carroça que vende milho-verde. Contei pra ela sobre a nossa viagem. Mas ela não quis dizer muita coisa. Está com frio. Disse que não confia na balsa. Que

tem medo da lagoa aqui. Porque, quando o mar entra na água doce, fica um cheiro de coisa mudando. Ela me deixou intranquilo.

O Fernando fica esperando que o Elias complete aquilo.

— Cavalo não gosta de água assim.
— Ela disse?
— Não sente?
— Que mais que ela disse?
— Ela disse pra gente tomar cuidado, que, perto do mar, água nenhuma se doma.

15
Rio Grande

Carcaças de barcos abrigam gente que faz churrasco e bebe cerveja enquanto pesca. Uma mulher de chapéu de palha oferece uma latinha para nós, em provocação, e entendemos que o sábado acontece normal para quem não leva os restos de um irmão no porta-malas. E por todos os lados, sobre as pedras e restos de pilares, biguás pretos, em pose de Cristo Redentor, secam as asas numa ginástica contra o vento. E também uma sereia de pedra preta nos acena. A travessia da lagoa nos faz sentir mais claramente a viagem: deixamos São José do Norte pra trás, e Rio Grande vai se tornando enorme na nossa frente.

Antes da balsa atracar já é possível ver de perto as ruas, os prédios antigos, e dizemos um para o outro que a cidade é bonita, assim, sem rompante de modernidade. Por exemplo: aquela igreja pontuda, o casario antigo coberto da camada de cinza que a umidade salobra espalha por tudo, deixando um cheiro de peixe. Isso que o vento sacode até mesmo a nossa balsa, que busca esteio. Descemos o carro, pensando, talvez os dois, nas quantas vezes em que tínhamos experimentado juntos tanta novidade depois da morte do Carlito. O dono da égua Joana passa por nós, levando, no olhar oblíquo dela, o medo daquela lagoa redomona, já quase mar.

Não demoramos a achar um posto de gasolina e então pedimos para encher o tanque. Mas é tão difícil para o Fernando escutar o que a frentista lhe diz, que ele tem que descer. Ecoa sob a cobertura do posto um rumor forte de gente, e o Fernando entende, primeiro, que a frentista acha estranho termos vindo de Porto Alegre num táxi e, depois, que o barulho vem dos pescadores. Estão fazendo manifestação na doca, ali ao lado. O Elias desce também e ouve a frentista informar o básico: lei nova do ministério, que vai reduzir o tamanho das redes e proibir a pesca da anchova. O Elias caminha até a multidão. Nota que as pessoas estão recebendo peixe de graça dos pescadores. Mas há também manifestantes contra a suspensão das obras de ampliação do porto, gritos e faixas de sindicato. O Elias volta impressionado. A frentista informa que tomaram a rodovia, mas talvez deixem o táxi de Porto Alegre passar. Estão mais preocupados em trancar os caminhões que saem do porto. O Fernando reclama da falta de sinal no telefone, que o google maps não ajuda com uma rota alternativa. A frentista não conhece caminho pelos bairros, e aceitamos que não há para onde ir senão enfrentar o bloqueio. Saímos do posto de gasolina com o Fernando preocupado.

— A gente não pode ficar parado muito tempo na rodovia, senão depois eu vou ter que correr pelas estradas do Uruguai pra recuperar o tempo. Não entendo por que bloqueiam as pessoas assim.

— É direito das pessoas protestarem, ora.

— E acha que vamos conseguir passar pelo bloqueio?

— Quer desistir de levar o Carlito?

O vento sacode muita coisa nas ruas, e o Elias coloca a mão pra fora do carro e fica sentindo o ar que passa pelos dedos. Então o Fernando fala algo que o Elias finge ouvir, porque não está ali. Está no prado do Cristal, e o homem de branco, com aquela prancheta na mão, o tinha chamado duas vezes. O inverno era mais forte naqueles anos 80, com vento mais cortante, também, do que em Rio Grande, de onde estamos tentando sair. Talvez por isso o Elias criança então sentisse frio e vestisse aquele poncho marrom e estivesse com a touca de lã na cabeça. Tinha visto o irmão Carlos falar com o homem de branco e depois acalmar o cavalo de pelagem bastante escura, montar e começar a correr pela pista. O Elias estava escorado à cerca de contenção, com os pés enterrados na areia molhada, quando o homem de branco chegou perto dele e disse bem alto, assim Ô, guri, e perguntou aquilo.

— De que cor nasce um tordilho?

O Elias sabia que os tordilhos eram brancos, às vezes cinzentos, e ia dizer aquelas cores, quando, de dentro das cocheiras, ouviu e entendeu aquela tosse.

«Todo tordilho nasce preto.»

— Todo tordilho nasce preto.
— Muito bem.

O orgulho de responder aquilo fez o Elias se sentir parte do prado. Olhou para as cocheiras, a ver se achava quem lhe tinha soprado a resposta. Ouviu um relincho apenas, e entendeu que era comemoração.

Depois, o irmão jóquei chegou, e o Elias viu a cabeça dele colada com a do animal nervoso, e lhe pareceu que o Carlito também conversava com os cavalos. O Elias viu ainda o irmão apear e ir levando o cavalo até o homem de branco, provavelmente o veterinário. E lembrou-se pra sempre, como se lembra então em Rio Grande: o irmão Carlito informando que o cavalo sentia dores numa das patas, pois tentava compensar a passada, e o veterinário a examinar as patas dianteiras do bicho, e o que ele, Elias, ouviu e entendeu o cavalo confessar:

«Ai, meu jarrete, ai, meu jarrete. Diz pro doutor que é o meu jarrete direito o que dói!»

— Que é jarrete?, o Elias quis saber.

— É essa dobra de trás da pata do cavalo, que nem um joelho ao contrário, o Carlito explicou.

— Pois é esse jarrete direito dele aí que tá doendo.

O veterinário olhou para o Elias e foi examinar. O cavalo gritou quando a pata erguida foi a da direita. A dor vinha daquele jarrete, o veterinário confirmava, e veio passar a mão na cabeça do Elias. Depois, avaliou o local ferido, o animal quis recolher a pata, e então o homem disse que era tendão, que medicaria, mas até a carreira o cavalo ainda ia compensar um pouco. Dava pra correr? O Carlito encarou aquele cavalão quase negro, que relinchou de dor mais uma vez. Levou-o pelo freio a caminhar. Ficaram os dois andando, parando e conversando. O cavalo urinou forte e foi se acalmando. Quando voltaram, o Elias escutou o irmão repetir o que o cavalo tinha dito: Ele disse que a gente dá um jeito.

— No que tu tá pensando?

O Fernando tinha notado o silêncio do irmão. O Elias resolve contar a história do cavalo doente no jarrete direito, e o Fernando diz que lembra, mas em verdade ele não tinha testemunhado aquela manhã de frio no prado e deve estar misturando as histórias. Então pergunta detalhes, não lembra bem se um dia o Elias lhe tinha contado aquilo ou não. E o Elias repete tudo.

— Eu já era irmão de vocês?
— Não lembro. Acho que sim.
— E o Carlito ganhou aquele páreo com o cavalo machucado?
— Não sei. A minha cabeça é mentirosa. Pra mim o Carlito ganhou todas as carreiras.
— Que acha que o Carlito ia fazer pra passar pelo bloqueio aí na frente?
— Sozinho? Primeiro ia conversar. Era bom de conversa. Ia puxar papo, fazer os caras rirem e ver se arranjava uma brecha pra passar. Se não desse, ia armar uma confusão.
— E se a gente estivesse junto?
— Daí ele ia culpar a gente.

Rimos, lembrando os episódios em que aquilo tinha se repetido.

Na saída de Rio Grande, a fila de automóveis é enorme. Muitos caminhões estão parados no acostamento. Outros ficam na via, aumentando a pressão. Alguém vem ao nosso vidro dizer que os vagabundos trancaram a rodovia.

Descemos. Caminhamos por entre os carros até o centro nervoso do protesto. Os pescadores estão instalados na pista, bloqueando a saída da cidade, sobretudo para quem vem do porto. Trouxeram barcos menores para o asfalto. Também estenderam redes e colocaram uma quantidade grande de peixes ao sol. Parecem sardinhas ou algum outro peixe pequeno. Não estão podres ainda, e o cheiro que sentimos lembra praia. Faixas dizem que o governo é contra os pescadores. Há uma sigla de sindicato e uma crítica ao ministro da pesca. Há lutas por coisas que não entendemos, como um tal de defeso das mulheres dos pescadores. E uma faixa enorme, que atravessa a via, decreta: Ninguém vai comer peixe.

Mas os pescadores estão comendo. Dos dois lados do asfalto há sinais de um meio-dia prolongado, brasa ainda viva em churrasqueiras de tijolos ou em tonéis abertos, com peixe assando em taquara. Ouvimos de alguém que só estão passando ambulâncias e carros da polícia. Porém, dali a instantes, as notícias mudam, e ficamos sabendo que a Polícia Rodoviária conseguiu negociar com os pescadores. Primeiro serão liberados veículos de passeio que não tiverem placa de Rio Grande. Motos já começam a passar. Resolvemos voltar ao táxi.

— Querem matar os pescadores de fome?
— Claro que não, Fernando.
— Mas se os caras não podem mais pescar...
— O que se quer evitar é justamente a extinção dos peixes.
— E os pescadores fazem o quê?
— Eles já deviam ter feito alguma coisa há muito tempo.
— Feito o que, Elias?

— Olha aqui: ou eles encurtam as redes agora e respeitam os peixes ameaçados ou as redes não vão servir pra mais nada. Tá entendendo?

— Sempre vai ter peixe. O mar é tão grande.

— Não é não. É menor do que tu imagina.

— Ninguém mais come peixe então?

— Se é para os peixes não desaparecerem, não vai mais ter sexta-feira santa.

— Não entendo desse jeito. Ninguém mais pode trabalhar. A política agora tá cheia de ecologistas.

— Não fala besteira, Fedor. Tem mais fazendeiro no Senado do que nas fazendas. Qual a proporção de fazendeiros no Brasil? Um por cento? Lá no Congresso deve ter uns trinta por cento representando esses donos do poder, e só uns dois ou três ecologistas.

— Os fazendeiros e os pescadores colocam comida na mesa, não colocam? Os ecologistas agora vão querer acabar com os fazendeiros e os pescadores também? Outro dia eu ouvi no rádio que esse negócio de barrar o desenvolvimento aqui foi plantado pelos estrangeiros: a gente fica com floresta, e eles vendem comida.

— Não mistura o protesto dos pescadores com o poder dos fazendeiros latifundiários. Porque o Brasil tem quase cem mil latifúndios. Sabe o que é latifúndio? Eu vivo estudando essas coisas do meio-ambiente. Mas tu não vai entender, não adianta. Não vou discutir ecologia contigo.

— Valeu.

O Fernando está chateado. É a primeira vez que o Elias joga na cara dele aquilo de não ter estudado. Não vai explicar a um taxista como as coisas funcionam, e o Fernando pega a chave do táxi e entrega ao irmão. Queria pedir que ele dirigisse, mas apenas vai caminhar entre os pescadores. O Elias sente e atrasa o passo, querendo evitar uma desavença. Caminha até o táxi, pensando no melhor modo de se retratar. Lembra o beliche, ele lá em cima, e o Fernando brabo, embaixo. A vontade de falar qualquer coisa reaviva a noite em que tentou conversar com o Fernando: era tarde, estava arrependido de ter falado do mau cheiro que o irmão tinha embaixo dos braços, só pra se aparecer pra algumas gurias da equipe da gincana, e perguntou ao Fernando se estava dormindo. O Fernando não respondeu, e então o Elias disse que tinha falado bobagem, que era só para impressionar uma tal de Débora, e o Carlito acordou, nos mandando tomar no cu. O Elias então falou aquilo: desculpa, Fernando, e, ouvindo do irmão do meio que ele tinha mesmo era que tomar no cu, resolveu tentar dormir.

Escutando gritos dos pescadores agitados, o Elias descasca um chiclé e fica olhando a confusão. Abre o mapa, buscando uma via de atalho. De fato, alguns carros estão usando o acostamento para retornar a Rio Grande, e o Elias pergunta a alguns motoristas se conhecem uma alternativa para a 471. Ninguém sabe informar com precisão. Decide ir atrás do Fernando, com passos um tanto perdidos, e uma sensação estúpida de solidão o perturba.

Acha o Fernando conversando com uns homens que assam tainha em taquara. O Fernando já está comendo um pedaço com a mão, quando o Elias avisa que alguns motoristas estão voltando à cidade. Um pescador informa que é melhor esperar, que vão liberar uma leva de carros dali a pouco. O Elias aceita provar o peixe também, e então devolve a chave sem olhar para o Fernando.

Retornamos ao carro confusos. As buzinas começam. Um lado da pista é liberado, mas os motoristas demoram a chegar aos carros. Os veículos de Rio Grande se recusam a ceder espaço. Entramos no táxi.

— Acha mesmo que os pescadores são culpados?
— Esquece isso. Não tô falando de culpa.
— Tá falando do que então?
— De responsabilidade.

O Fernando teme aquela palavra. Cai-lhe como provocação. E é outra vez o Elias.

— Parece aqueles caras que vão pra academia de luta pra depois humilhar e bater nos outros.
— Quê?
— Estudou pra humilhar os outros?
— Só estudei pra ser menos burro do que eu sou.

O Fernando quer retrucar mais, mas se sente acovardado diante do professor e engole o silêncio. O Elias percebe.

— Desculpa aí.

Agora o Fernando não quer dizer nada mais sobre aquilo. Pergunta se o Elias olhou a caixa do Carlito, para ver se não tinha virado. O Elias responde que não sabe como funciona o alarme.

— Tão estudado e não sabe nem apertar um botão?

A pretexto de ir ver a caixa, o Fernando desce do carro, abre a porta traseira e arruma alguma coisa. Atinge o Elias em cheio: sente que o professor está com vergonha das coisas que disse e apenas abre a caixa pra ver o Carlito na paz de um sono que a confusão não acorda. Depois, ele não tem mais tempo pra mágoa. A fila está andando, e um policial sopra forte o apito, instigando os carros a descongestionarem a pista. E o Fernando passa a mão no plástico, sentindo a redondeza da testa do irmão, e então fecha a caixa, depois o porta-malas. Quando entra no carro, o Elias lhe pega no braço.

— Desculpa mesmo. Por agora e por aquela vez que eu falei mal de ti.
— Que vez?
— Uma vez, com as gurias. Falei que tu fedia embaixo dos braços.

Buzinam mais para o táxi. O policial chega a batucar na lataria. O Fernando engata o cinto, liga o motor e, prático, faz o carro seguir caminho. Não olha para o Elias quando liga o som. Pela estrada, o fluxo aos poucos vai se normalizando. Escutamos Dire Straits. Começa com *So far way*. Já esquecemos de nós. Ficamos com a música e o asfalto.

16
tarde de sábado

Pegamos a 471 já na metade da tarde. Com o asfalto bom e o pouco movimento, o Fernando decide acelerar, e a paisagem baixa e seca, muito amarela, vai virando borrões nos vidros laterais. De horizonte a horizonte, uma planície só, e a terra revirada está esperando apenas chuva e sementes de arroz. Muita coisa tem cara de abandono, como as casas. Em mais de uma, árvores nasceram de dentro e venceram o telhado, embora portas e janelas estejam fechadas, e as vacas indiquem presença de gente que as cuide. Vai anoitecer cedo, o Elias fala mais alto que a música, e o Fernando pisa mais fundo. Com o canto do olho, o Elias olha o velocímetro, sem dizer nada a princípio, até pedir para irmos mais devagar. O bloco de Dire Straits acaba com *Brothers in arms*. Depois de uma pausa, entra outra voz de homem cantando em inglês.

— Lembra?
— Quem é?
— Baixei aquele disquinho da Pepsi dos anos 80, aquele que a gente trocava por tampinhas de garrafa.
— Não acredito.
— É o Bruce Springsteen. São só quatro músicas. Ele, mais a alemã aquela, Nina Hagen, a Carly Simon e o Freddie Mercury.

Dura pouco nosso silêncio, nem a primeira das quatro músicas. Vamos lembrando o disco compacto. Tínhamos um toca-discos velho, amarelo, que virava uma maleta. Quase furamos o disco de tanto que escutamos. O Elias parece feliz.

— Lembro que esse cara virou ídolo nosso.
— O Bruce Springsteen marcou mais que o Michael Jackson.
— É. Comecei a fazer musculação e a usar macacão de brim. Dobrava as mangas da camiseta. Deixei o cabelo volumoso na frente e até arranjei uma faixa vermelha pra botar na cabeça. Lembra disso?
— É. Tu era quem mais imitava o cara, sim.
— Lembra, Fernando, que eu cortei as mangas da jaqueta de brim? Fui numa festa com a jaqueta cortada. Depois, tentei esconder da mãe e do pai.

Vamos lembrando de tudo. A brabeza do pai com o Elias e o discurso sobre cuidar das roupas, enquanto a mãe tentava costurar as mangas de volta à jaqueta. Depois, a festa na garagem do Alessandro. O Fernando abobado, trocando umas revistas Mad com outro abobado, e depois de olho numas gurias, sem atitude de tirar nenhuma para dançar. O Carlito chegou mais tarde e ficou brabo porque também tínhamos sido convidados. Quis mandar a gente de volta pra casa, mas o Fernando mandou ele se foder, e ficamos. O Carlito quis fazer a festa dele separado, e o pessoal ria da cara dele não por causa de nós: diziam que ele era o anão da série *A Ilha da Fantasia*. Mas o Carlito tinha estilo, as gurias viam. Com uns dezesseis anos já trabalhava de cavalariço no jóquei. Passou a comprar as próprias coisas: tênis americano, roupas de grife, relógio digital, calças com as barras desfiadas. Lembrando as festas, era ele chegando com o jeitão de quem era dono da própria vida. Diferente de nós, que usávamos as roupas que a mãe e o pai compravam, coisas de criança ainda, geralmente de moletom. Odiávamos sobretudo os tênis de futebol de salão. Na garagem do Alessandro, o Carlito tinha chegado mascando chiclé, com um cinto de fivela militar levantando as calças à altura do umbigo. E a Fernanda, colega nossa que tinha o rosto pintado por sardas, perguntando se o nosso irmão tinha namorada. Nunca tínhamos ficado com ninguém, nem visto o Carlos com alguma guria. E tocaram as lentas, e o Fernando avisou o Carlito que a Fernanda tava de olho nele. Perto do fim da festa, escondidos atrás dos pinheiros no fundo do pátio, vimos o irmão beijar a Fernanda. Era o cara: fazia carinhos no cabelo e beijava, beijava, beijava. Depois, pegou a mão dela e vimos que, quando saiu, ele a levaria até a casa dela. O Carlito tinha uma vantagem enorme sobre nós dois: aguentava o não das gurias e o excesso de brincadeiras de mau gosto dos caras mais ricos que nós. Sabia cair, o Carlito. Como não gostava de rock, esperava as lentas.

— Como era o nome daquela primeira guria com quem tu ficou?

— Aline.

E o Fernando fica calado. A memória monta a pinta pequenina no rosto, a voz levemente rouca, e os olhos com uma sombra escura, que contrastam com os cabelos loiros, bastante claros, da Aline. Alguém disse que ela parecia um panda. O Fernando não achou.

— Eu sei. Ela não quis mais nada contigo depois.

— Não, é que era a primeira vez que ela ficava com alguém. Só que também era a minha primeira vez. Lembra que tu intermediou tudo? A gente era tão cagão que um fazia os lados do outro. Daí tirei ela pra dançar e criei coragem e perguntei se ela queria ficar comigo, e ela disse sim. Eu tentei. Já te disse isso uma vez: foi aquele beijo em que a boca da gente não encaixa na boca da outra pessoa. Depois, não consegui dizer mais nada. Fiquei com ela num canto, acovardado. Todo mundo fazendo festa, e eu com vergonha de mim mesmo. Uma das coisas mais tristes da minha vida.

— Era bonita a Aline, puxa!

— Se era... Na época não entendi direito o que tinha acontecido, e daí me fodi. Me vinha na cabeça que ela era filha do vice-prefeito e me bateu uma vergonha de ser pobre. Fiquei a festa inteira de mão dada com ela, encostado na parede. De vez em quando, pensando que era meio por obrigação, beijava a coitadinha. Isso até ela dizer que tinha que ir embora. Acho que a Aline não aguentou e fugiu de mim. Lembra?

— Lembro. Também não tive coragem de ir atrás e perguntar o que tinha acontecido. E o Carlito já tava namorando naquela época.

— Acho que a Aline esperava só que eu fosse eu. Eu vivia fazendo palhaçada, e todo mundo gostava. E com a Aline fui um medroso. Foi a primeira vez que ela ficou com alguém, e ela deve ter levado aquilo pro resto da vida: que o primeiro cara com quem ela ficou era um merda que nem eu. Escrevi uma carta pra ela, dizendo que tinha medo porque era pobre. Ela não respondeu. Porque não tinha nada a ver o fato de eu ser pobre.

— Claro que tinha, Fernando: a gente se dava mal por causa disso também. Tinha aqueles caras que usavam camiseta de marca, e a gente com a roupa herdada do Carlito. A gente ia pras festas de ônibus e voltava a pé. Os outros caras já dirigiam os carros dos pais.

— Mas não foi o caso: lembra que o Carlito chegou de uma festa e foi fumar deitado na cama? Sentiu que eu tava acordado e disse bem claro assim: que eu não tinha conversado com a Aline, não tinha vivido a festa junto com ela, entende? E lembra que ela ficou depois com o Maurício, que era meio gago? O Carlito disse bem assim: o cara é gago mas tem coragem de falar com ela. Tu fica aí com vergonha de um apelido, de um sotaque, e daí ele foi lá e, mesmo gago, ficou com ela. Todo mundo tem problema, e ele foi mais homem que tu, Fedor, só isso. E o Carlito fumando aquele cigarro no quarto, e eu olhando pra janela aberta. Sempre tinha barulho de sapo lá fora, não tinha? Esperei vocês dormirem e pulei a janela. Caminhei pelo pátio, com frio, pra chorar sozinho. Só depois eu entrei e fui pra dentro do roupeiro. Daí eu peguei um chiclé velho que eu tinha colado embaixo de uma travessa. Fiquei mascando o chiclé até pegar no sono.

Nina Hagen canta. Tem uma voz de bruxa. O Fernando deixa as quatro músicas terminarem. Lembra de tudo depois da Aline: de evitar as gurias e a impressão do próprio fracasso, de se tornar aquele que colocava o som nas festas, escondido atrás de dois toca-discos e sua lista com dançantes e lentas. Era melhor daquele jeito: comandava as músicas enquanto os outros precisavam ficar com as gurias. No táxi o disco acaba, e o Fernando sabe o que vem depois. O Elias está arrumando uns papéis, guardando os mapas, e aquela música entra estranha: floreios de violino e trompete, como se fosse música mexicana. Mas então o Elias entende: Nessa longa estrada da vida/ vou correndo e não posso parar.

— Milionário e José Rico?
— Queria ver se tu te lembrava.

E ficamos ouvindo. Mas o tempo cercou minha estrada / e o cansaço me dominou, / minhas vistas se escureceram / e o final da corrida chegou. Antes de levarem o Carlito para Guaíba, fizeram aquela despedida no Cristal. Era um dia de semana, tinha chovido na noite anterior e o céu continuava chorão. A mãe tinha consentido que o prado se despedisse do jóquei, como ela disse, mas sentíamos o contrário: era C. Martins, vestido de jóquei, todo de branco, com uma camisa de estrelas verdes e botas novas, era ele, pela última vez no hipódromo, que se despedia do turfe. Bastante gente tinha se reunido: jóqueis, proprietários, alguém da diretoria do Cristal, difícil lembrar. O pai falava com todos. A mãe amparava a Cíntia, que tinha vindo com o pai e a mãe lá de Guaíba para se despedir do namorado. Estava destruída: tinha sido a última a falar com o Carlos antes dele pegar a moto e correr na chuva. Dona Adelaide, a sogra, tinha preparado uma cama na sala, mas o Carlos tinha metido na cabeça que treinaria na manhã seguinte. Tinha sido estúpido com ela e com seu Edgardo.

O Elias lembra de ter se afastado, sem aguentar o clima que parecia de festa. Lembra de ter sentado no pavilhão e ficar olhando de longe, no curto espaço de solidão que teve, porque alguém, um jóquei que ele conhecia sem saber o nome, vinha já falar no quanto o Carlito era diferente com os cavalos. De longe, o Elias viu o Fernando escorado na área de proteção da pista. Foi quando nos encaramos e a ideia de que cobrávamos uma culpa um do outro. Revezamos olhares, evitando o caixão como a um vidro de janela cujo estrago ninguém quer assumir. Só não nos engalfinhamos porque conduziram a Onesita, que trazia as flores de ganhadora para o nosso irmão. A égua não parecia confortável, e virava a cabeça para voltar às cocheiras. E o Fernando se aproximou dela, sem coragem de passar a mão no pelo. O pai Liandro viu o Fernando encolhido e foi até ele. Talvez pensasse que o sangue fosse superior à convivência. Mas era justamente um mesmo pátio e uma mesma casa que nos vinculavam, mais que tudo, àquele jóquei morto. No centro da cena, aquele caixão escuro, quase zaino, parecia estupidamente uma última montaria. E então os homens fizeram aquilo de abrir uma roda. Dois deles, de casacões e óculos escuros, pegaram em violões. Um outro, de cabelos grisalhos que saíam em grande volume do chapéu, começou a música no violino, acompanhado por um gordinho com farda da brigada, que soprava no trompete. O Elias ainda viu, quando chegou mais perto, que os amigos do violão puseram no polegar um anel colorido, de plástico, como esporões, e pareceram mesmo galos de rinha quando cantaram. Nesta longa estrada da vida, / vou correndo não posso parar / Na esperança de ser campeão / alcançando o primeiro lugar. Não gostávamos de música sertaneja, mas sabíamos que o Carlito convivia com aqueles homens de chapéu paulista, proprietários, veterinários. Era o Carlos, e sempre respeitava, antes de gostar, as coisas e as pessoas que pouco conhecia. O problema eram as pessoas que dormiam no mesmo quarto que ele.

Era para ter sido bonito, apenas isso. Muita gente cantava junto. Mas sabíamos, mas tínhamos vergonha de todos, tínhamos o embaraço entre nós e não estávamos distantes o suficiente para evitar a voz forçada do outro cantando. Éramos dois desafinos, sabendo que não tínhamos podido evitar que o jóquei pegasse a moto e saísse para morrer e queríamos que um de nós assumisse qualquer falha ou por aquilo ou por não tê-lo achado na noite de chuva. Talvez por isso já não houvesse possibilidade de beleza sem consternação naquela tarde. A Onesita não se continha, os músicos a incomodavam, e tiveram de levá-la antes que a música acabasse. Mas o tempo cercou minha estrada / e o cansaço me dominou / minhas vistas se escureceram / e o final desta vida chegou.

    Fugimos um do outro. O Fernando acabou mais próximo da pista e o Elias foi ver de perto os músicos. Um homem de gravata falou alguma coisa, cumprimentou nossos pais e a Cíntia, e veio até o Elias e depois até o Fernando e nos aproximou de novo. Ia dizer apenas que sentia muito, pêsames, aquelas coisas. Mas disse que o Carlito era diferente, era o melhor quando corria no frio. Era o dono do inverno, o dono do inverno, repetiu para nós dois. Olhávamos de lado um para o outro, compartilhando algo espinhoso. Porque talvez usássemos a mesma estratégia para evitar que transformassem o nosso irmão num anjo. Pois buscávamos um Carlito chato, que reclamava constantemente de que tínhamos mexido em suas coisas. Aquele era o Carlito injusto, acusador, que nos colocava em situações delicadas diante do pai. Talvez cada um de nós buscasse a sua briga com ele, e o quanto ele podia ser malvado quando batia. (Talvez o Fernando recordasse do Carlito batendo no seu rosto mesmo depois de já estar quase desmaiado no chão, e então o Elias mostrasse os dedos que lhe foram quebrados pelo irmão mais velho numa briga de jogo de taco. Talvez pensássemos no Carlito que tinha mijado na horta do Elias, vendido discos do Fernando, que desdenhava tudo o que fazíamos e convencia alguns amigos a não nos convidarem para as festas. Talvez precisássemos lembrar tudo aquilo para não enterrar um estranho, mas ali não importava nada. Enterrávamos o jóquei C. Martins. Depois seguiríamos até o cemitério de Guaíba, para outro velório, outro grupo de amigos, tentar enterrar o irmão. Lá, sim, teríamos de ficar prontos). Este é o exemplo da vida, / pra quem não quer compreender: / nós devemos ser o que somos, / ter aquilo que bem merecer.

Dentro de um táxi, rumo ao fim do Brasil, não choramos durante a música, também porque é bastante curta. O sol chega intenso pelos vidros do carro, e o Elias abre o porta-luvas e põe o boné do Carlito. Depois, entrega os óculos plásticos para o Fernando colocar e pede:

— Põe a música de novo.

Nesta longa estrada da vida, abrimos os vidros, e vamos tentando, esganiçados, cantar. Atrapalhados um pelo outro, não decidimos quem faz a primeira voz e quem faz a segunda.

17
o Taim

Paramos num restaurante na beira da estrada. O Elias desce com o boné do Carlito e então, encorajado, o Fernando deixa os óculos pendurados no pescoço. Lá dentro, há sinal de wi-fi, mas nada do Fernando conseguir acessar a internet. Vai ao balcão perguntar a um homem e descobre que o sinal anda ruim.

— Valeu pela música.

O Fernando entende que o Elias fala daquele momento que acabamos de viver: ao som de Milionário e José Rico, boné e óculos do irmão jóquei, um sol inteiro pela frente, cruzamos alguns quilômetros de asfalto cantando como deveríamos ter cantado um dia. Agora sentamos para comer torradas. Depois, o Elias pede água quente e vai buscar a térmica do chimarrão. Lá fora, ceva o mate, pergunta se o Fernando está pronto e voltamos à estrada.

No asfalto, as duas faixas contínuas dividem a paisagem repleta de árvores, apontam o horizonte laranja, quase vermelho, e anunciam a noite fria de que o Elias falava. E ele serve o chimarrão, que bebe primeiro e em silêncio, olhando o mundo. Depois, passa para o Fernando, que dirige então com uma mão só. Reparamos que pássaros começam uma rota, de uma lagoa à outra. O Elias está com o mapa na mão.

— Daqui a pouco, do outro lado, começa a Lagoa Mangueira. Tomara que dê pra ver, de algum ponto da estrada, as duas lagoas.

O Fernando olha furtivamente para a esquerda.

— Se desse tempo, eu queria visitar a Mangueira e a Mirim. Já conheço a Lagoa dos Patos, e daí eu ficava conhecendo as três grandes lagoas do Rio Grande do Sul. O que tu acha, Fernando?

— Me disseram que pra ver a Mangueira só pedindo permissão pra algum fazendeiro. Ou então precisa ter tração nas quatro rodas pra ir pela praia.

Quando o trecho arborizado se abre, um sol imenso e branco mostra a Lagoa Mirim à direita, ao longe, apenas feita de um reflexo vivo. O Fernando diminui a velocidade e o Elias pega o chimarrão. Num pequeno trecho achamos que, do lado do mar, é a Lagoa Mangueira: uma porção de água extensa, algo azul-escuro, e esperamos que um de nós arrisque confirmar. Mas logo depois o mundo a cobre.

E então aconteceu aquilo porque, de fato, não tínhamos deixado de pensar na música. O player está desligado, o Elias segura a garrafa térmica, e o resto de sol deixa o horizonte da estrada tão nítido, que somos capazes de ver, cada vez mais longe, os preás, famílias deles, por todo o acostamento. Quando o Fernando diminui a velocidade para retomar o chimarrão, é até mesmo possível, mais na distância que na proximidade, descrever os gestos pequenos. Mas aquilo não é o sol, é o frio: enquanto o sol incha as coisas, borrando as cores, o frio as lava, as separa, as distingue, corrige as manchas e o contorno, aumentando a profundidade de tudo. Vamos percebendo isso juntos, dizendo, aqui e ali, Olha lá, olha lá. O Fernando está com o chimarrão e estaria feliz por dirigir na tarde única para os irmãos, não fosse a música com que a memória rema. Da quietude da paisagem, ela vem falar da estrada longa e da impossibilidade de parar. E o Elias também escuta uma esperança de ser campeão, já pensa em perguntar se o Fernando quer ligar o player, quando acontece da capivara aparecer na nossa frente.

    O Fernando passa a cuia para o Elias e desvia para o acostamento. Os preás correm para o mato e vemos a capivara parada, já num pedaço da pista. É pequena, com um ferimento na pata dianteira. O Elias desce e tenta afastá-la da estrada, mas ela só vai quando o Fernando a cutuca com uma vara.

— Diminui a velocidade agora, que já estamos no Taim.

Voltamos ao táxi e as placas começam: velocidade, cuidado, advertência de animais silvestres, um radar fixo. E então a cerca de metal vem separar o asfalto da reserva: o banhado onde as capivaras ficam, as nuvens de pássaros pretos, e o Elias mostrando corujões, socós, maçaricos, marias--faceiras. Encostamos o carro.

Temos chimarrão e um finzinho de tarde. Algumas capivaras estão na água, apenas focinhos, olhos e orelhas visíveis. Muitas pastam, e outras, as caras bonachonas, estão esparramadas entre os maricás secos e os cactos. Muitos filhotes. O Elias tira fotos. Avista um jacaré e alguns marrecões cujo nome não consegue identificar. E naquele som de mundo sem gente, os corações cheios, caminhamos e conversamos sobre os bichos, nos revoltamos com as inúmeras capivaras mortas atiradas pelo acostamento, respiramos o cheiro de mato.

— Pessoas dirigem aqui à noite, em alta velocidade.
— E as capivaras atravessam aqui à noite?
— Elas preferem se alimentar à noite.

O Fernando também vai assumindo a compreensão daquilo e questiona a tinta verde que marca cada capivara atropelada: uma contagem, segundo o Elias. O Fernando conta mais ou menos treze capivaras mortas. Acha também dois cascos de tartarugas.

Carcarás espiam dos galhos secos. E entretanto a morte vem nos trazer paz. Trocamos o chimarrão, torcendo contra a noite, aceitando os bichos mortos pelos bichos vivos. O Elias busca o mapa e mostra então que só naquele pequeno trecho o asfalto pega o Taim. O Fernando acha que estamos agora invertendo os papéis, porque julga que o asfalto deveria passar entre as vacas e não por cima das capivaras.

— Um parque tem disso, Fernando. Nunca se consegue proteção total. Não tem proteção perfeita na natureza.

— É muito difícil ver os bichos sofrendo.

— Acho que é porque eles parecem indefesos diante de nós. E daí nos sentimos covardes. Mas as pessoas se acostumam.

— Se acostumam com o quê?

— Com a vida, com a morte. As pessoas veem capivara viva e morta aqui todos os dias.

— E não respeitam a paisagem?

— Isto é mais que uma paisagem. É um bioma.

— E o que é isso?

— Um lugar vivo.

O Fernando pensa naquilo de lugar vivo, terra, mato e água que respiram, se mexem. Fica olhando detalhes do bioma, compreendendo, nos olhos do mundo, que, de acordo com o que falamos, as coisas se mostram vivas ou não. O Elias aproveita o fim da luz e tira mais algumas fotos.

— Ô, Elias: qual foi a cena mais triste de bicho que tu já viu?

O Fernando entrega o chimarrão. O Elias passa a máquina fotográfica e demora a responder. O Fernando fica olhando as fotos que o irmão tirou.

— Uma zebra, num filme. Ela tenta atravessar o rio, e os crocodilos atacam ela.
— Tá, mas daí é natural. Eles comem ela.
— Não, a zebra consegue fugir com um crocodilo mordendo a pata de trás. Ela dá um coice e afasta ele. Mas fica sem o couro da coxa e não para de dar coices. Ela já está na terra, e os crocodilos dentro d'água, e a zebra continua dando coices no ar. Daí a barriga se abre, e os órgãos todos ficam pendurados. Ela zurra. Já viu o barulho da zebra sofrendo?
— Não.
— É terrível. Então ela se dobra pra trás, meio que se senta, e lambe com cuidado as próprias tripas. Essa é a parte que mais me dói. Ela parece que tá limpando, porque lambe com tanto carinho tudo aquilo que ela nem sabe o que é, mas que sai de dentro dela.
— Ela não morre?
— Depois ela se deita. Parece que o bicho entende da morte mais que o ser humano. Os bichos simplesmente aceitam como algo da natureza. A

gente não tem essa resignação. E daí os crocodilos vêm cercar a zebra. Mas não atacam. Acho que esperam ela morrer sozinha. Eu só queria um dia ter o amor que ela teve pelas próprias tripas enquanto esteve viva. O filme corta e aparecem os crocodilos depois, dando aqueles giros, já viu?, pra estraçalhar a carne da zebra morta.

— Tá, mas daí não é natural?

— É. Mas o que é natural também pode ser triste. Não acha que tem morte triste e bonita? Tua mãe, por exemplo, morreu dormindo. O coração parou.

— Na época, o pai me disse que ela tava sonhando e continuou no sonho.

— Uma morte natural e bonita.

— Pode ser. Mas com o tempo fui entendendo que, pra quem morre, é morte igual. No caso da mãe, aquela história dela ter sido abandonada pelos médicos manchou tudo. E a morte do teu pai? Foi bonita ou triste?

— Não sei. Ele caiu do prédio onde tava trabalhando. Acho que nem teve tempo de ver nada, de sentir dor alguma. Sabe?, acho que ele nem soube que morreu.

— Então foi morte bonita também, que nem a mãe. Já a do meu pai foi triste, não foi?

— Puta merda, nem me fala. O pai Liandro na Santa Casa dizendo pros médicos que estava num dos melhores hospitais, que estava fazendo o que os médicos pediam. Lembra, Fernando? Fez químio, rádio, todo tipo de tratamento sem reclamar — e olha que ele reclamava de tudo —, mas cada vez tava pior.

— Lembro dele dizendo aquilo pros médicos: que ele arrumava de tudo, carro, ventilador, portão automático, até computador. Não tinham um jeito pro caso dele? A morte dele foi triste, sim. Ele queria viver até o último momento. Mas no hospital não tinham um Seu Liandro pra arrumar um Seu Liandro.

— É. Uns dias antes eu fui lá no hospital, e ele me disse aquilo: Coisa bem boa esta vida, pena que a festa tá acabando.

O Elias tenta um último chimarrão, e só tem água para meia cuia. O Fernando fica recordando os momentos do pai no hospital, o Elias distante, e depois aquele enterro em que não nos falamos senão por intermédio da mãe. Tem vontade de falar sobre aquilo, mas o sol já se pôs. Antes que a noite se feche, resolvemos voltar ao carro.

Recomeçamos a viagem, mas insistem imagens que o Fernando não evita: o revezamento das noites no quarto do hospital com o pai, sem que nos víssemos. Depois, o nosso quarto azul parece tomar as lembranças pela mão. Sempre o Carlos a sussurrar no escuro, a falar da vida e também da morte. O Fernando quer perguntar alguma coisa:

— Acha que a morte do Carlito foi natural, assim que nem a do teu pai, ou foi que nem a do meu?

— Não sei.

O Fernando acha curioso, consigo mesmo: dirige para o sul, e aquela nossa casa, um só quarto para os três irmãos, vai regressando cada vez mais. Quando saímos de Porto Alegre, talvez pensássemos três dias à frente, a carreira na Argentina e o que faríamos para que não o Carlos, mas nós três nos sentíssemos lá. Talvez pensássemos também que deveríamos arranjar um lugar para o jóquei que, vinte e quatro anos atrás, ia levantar areia com pataços de cavalo. Talvez julgássemos que uma noite na Argentina, cavalos suados apesar do frio e os homens excitados pelo álcool e pelos cigarros preenchessem de realidade aquela coisa sem nome que queríamos preencher. Só não suspeitávamos da casa, do seu regresso insistente, os sons que alguém acordado escutava de outros dois existindo, a tinta das paredes, o cheiro do quarto quando a luz se apagava. Talvez não haja mesmo como se livrar de uma casa, de nenhuma casa, sobretudo daquela que já não existe. Também ela nos cobra as conversas sem luz: algum ranço da mãe, problemas com o colégio, as mulheres, o futuro.

18
Santa Vitória do Palmar

À noite, saímos para caminhar sob um frio intenso que aperta até o Elias, estranho naquele casaco de lã. Enfrentando a neblina espessa, somos homens menores nas roupas. E nos sentimos exatamente assim: espremidos contra nós mesmos, cada vez mais dobrados pra dentro, recolhidos onde algo quente nos mantém. E o Fernando, apesar de sofrer, parece gostar de sentir o frio na respiração, de puxar o mundo gelado e devolvê-lo vivo na fumaça que sai da boca. Falamos duas ou três frases felizes antes de chegarmos ao Guacamole, um restaurante que é mexicano só no nome. Servem pizzas. E é o que vamos comer, bebendo cerveja bock e nos aquecendo perto da lareira onde tocos grossos de lenha crepitam fraco. Um homem de cavanhaque e cabelo grisalho toca violão e canta músicas gaudérias.

Tínhamos chegado a Santa Vitória junto com a noite, os braços do Fernando já duros de tanta estrada. Procuramos hotel, mas o que nos indicaram estava lotado. Girando aqui e ali, voltamos ao pórtico da entrada da cidade, que imitava um farol vermelho e branco, quando o Fernando parou o carro. Encontrou sinal no celular e tentou buscar um lugar para passarmos a noite. Antes de conseguir, o Elias já tinha decidido não perder mais tempo: desceu e conversou com dois cavalos castanhos pequenos, provavelmente puxadores de carroça, que lhe indicaram um hotel.

«Hotel Brasil, meu senhor. Todos dizem que é o melhor da cidade.»

«Onde fica?»

«O senhor segue reto por essa rua aqui, que é a principal, por umas sete quadras.»

«É um prédio de dois pisos, com toldo verde.»

«Obrigado.»

«Não por isso, senhor.»

Havia vaga no hotel, e descemos nossas coisas, assinamos os papéis e pagamos a um homem de sotaque castelhano, que mostrou o local do café da manhã, uma sala de internet e nos deu um papel com a senha. Em seguida nos levou até o quarto, bem nos fundos do hotel, depois do estacionamento. Testou o televisor, pediu que tomássemos cuidado com a estufa e falou que, qualquer coisa, ligássemos para recepção. Quando ele ia sair, o Elias perguntou: Amanhã a gente queria ir até a Lagoa Mirim, é longe? Oito quilômetros nesta direção. Vai dar numa estrada de concreto que leva até o antigo porto. Vão ver como é bonita a nossa lagoa.

Colocamos a caixa do Carlito sobre a mesinha entre as duas camas. Tomamos banho quente, trocamos de roupa e seguimos a indicação do castelhano de um lugar onde comer. Enquanto o Elias estava no chuveiro, ouviu o Fernando ligar, e imaginou que era a Ana de Guaíba, perguntando como estava e dizendo que estávamos bem, que no dia seguinte entraríamos no Uruguai. Ouviu o irmão conversar baixinho, mais de uma vez mandar beijo e depois sair.

A pizza do Guacamole não é boa e, perto da nossa mesa, duas mulheres gordinhas cantam as músicas do homem do cavanhaque grisalho. Riem alto de tudo. Uma delas tem a pele acinzentada, veste um casaco comprido verde-musgo e fuma um cigarro de cravo e canela. A outra é loira, maior que a primeira, e o rosto fica mais redondo dentro da gola de pelos rajados de bicho e da jaqueta preta fofa, com um escrito inglês nas costas, em letras douradas. Estão com maquiagem de sábado. Bebendo malzbier, passam a olhar e a rir sem disfarce para nós. O Fernando se acovarda, mas o Elias resolve jogar o jogo: então também conversamos e rimos olhando para elas.

— Vocês não são daqui?

A mulher meio cor de vela pergunta, e confirmamos que não, e elas riem. A loira tenta explicar alguma coisa que a cantoria não nos deixa ouvir. Então chama a outra para sentarem à nossa mesa, sem pedir licença.

— Sabe o que é?, a Rose, a minha amiga aqui, disse que vocês tinham cara de castelhanos, mas eu escutei vocês falando português e até achei que te conhecia.

— E me conhece?, o Elias pergunta.
— Não sei. Tu me conhece?
— Acho que não. Nunca tivemos aqui.
— Magda. Qual o teu nome?
— Elias.
— Nome de padre.

Voltam a rir. A Magda pergunta se o Elias tem aquela careca de padre, que começa pela nuca, e o Elias mostra que não é careca. A Rose pergunta o nome do Fernando e, como ele fica em silêncio, o Elias responde por ele.

— Teu amigo é bicha?

É a Magda de novo.

— Ele é meu irmão.
— Não se parecem nem um pouco. Mas é bicha ou não é?
— Ele é do norte. Nasceu em Tocantins.

— Sei, mas no meio dos índios também nasce bicha, não nasce?

Riem e insistem na piada que coloca o Fernando pelado no meio dos índios. O padre Elias também vai para o mato catequizar o gentio.

— É que, desde que vocês chegaram, tu não parou de olhar pra mim. Conheço o teu tipo e o dele.

— Meu tipo?, o Elias quer saber.

— É, o dele é aquele tipo que fica admirando mulher com os olhos baixos. O teu é meio açougueiro, que olha pra uma mulher e só vê um útero.

— Só achei vocês duas fiasquentas.

A Magda abre uns olhos enormes para a Rose. Bebem goles de malzbier, brindam e voltam a rir mais um pouco.

— Tu tem os dentes muito feios pra te achar deste jeito. E na real tu não tirou os olhos de mim.

— De vez em quando olhei pra pizza.

— Viu? Olha mulher como quem escolhe pizza mesmo. Conheço o teu tipo e o do teu namorado.

— É meu irmão.

— Ele não fala?

É a Rose perguntando agora.

— Tu não fala, Fernando?

O Fernando não quer conversar. As mulheres o afundam na mesa. E ele bebe cerveja e belisca uns restos de pizza. De vez em quando olha para o músico. Está aborrecido. A Rose estica o braço e o cutuca.

— Não fala, Fer?

O Fernando força um sotaque que já não tem.

— Falo não.

A Magda e o Elias riem dos dois. A loira vira um copo e vê que a garrafa está vazia. Pede outra malzbier. A Rose resolve fumar também e nos oferece cigarro.

— Não fumamos, o Elias diz.
— O padre responde sempre por ele?, a Magda provoca.

O Fernando aceita o cigarro. A Magda fica olhando o Fernando e depois comenta com a outra.

— Tem olhar de medo esse daí, tipo bicho acuado.
— O teu irmão fala sempre por ti?, a Rose pergunta.
— Ele fala até com cavalos.
— Cavalo? Sei, a gente também fala, a Magda diz.

Não cansam de rir, enchendo os copos. São mulheres de seios grandes, sobretudo a loira. Adivinhamos que são sozinhas, que buscam uma companhia para o sábado. O músico toca *Vento ne-*

gro, e elas se emocionam cantando junto. O Elias olha o Fernando, que só olha para as duas quando se viram para o músico. O Elias espera uma combinação de olhar do irmão, mas o olhar não vem. Então o Elias pede outra cerveja.

— Só agora reparei no teu útero.
— Sei que tu acha que mulher é assim, que nem peteca. Sei que não sou feia, mas fiz também faculdade e ganho meu dinheiro sozinha.
— Que que isso tem a ver com querer mostrar o útero?
— Tem que eu não sou uma peça de carne que açougueiro fica olhando.
— Bom pra ti que eu não sou açougueiro. A gente tá no meio duma viagem e veio aqui só pra comer uma pizza.
— Vocês trabalham com o quê?, a Rose pergunta.

O Elias só responde depois de esperar pelo Fernando.

— Fogo.
— Quê?
— Somos incendiários.
— Como assim, padre?
— A gente põe fogo nas coisas sob encomenda.
— Existe isso?
— Existe. Querem incendiar alguma coisa ou alguma pessoa?

O Elias parece um personagem de filme, as duas se interessam mais, e ele explica que nos pagam adiantado. Viajamos de modo discreto e colocamos bombas incendiárias nos lugares-alvos. Se necessário, usamos um lança-chamas que escondemos num fundo falso do carro.

— Aquele negócio que os alemães usavam na guerra pra queimar os outros? Não acredito, a Magda diz.

— É o que eu e o Fernando fazemos, sim. Mas esta viagem de agora não é pra queimar pessoas. A gente tá só levando uma ossada pruma corrida de cavalos na Argentina.

— Tá, tá bom. Não querem dizer o que fazem, tá bom. Olha, eu não preciso esconder nada. Eu sou advogada mas não exerço. Montei com a Rose uma agência aqui na cidade.

— Agência de quê?

O Elias ri, baixando a cabeça quase junto à mesa.

— Teus comentários são nojentos.

— Não comentei nada. Tu é que ficou achando nós dois tarados.

— Estou falando de ti. O teu namorado baiano não olhou pro meu útero. Ele desvia o olho do corpo da gente. Acho que nem sabe o que é um útero, provocou. A Rose, se pega ele, estraçalha. Ele sai convertidinho.

Riem da cara do Fernando, que se levanta para ir embora. A Magda e a Rose fazem ui ui pra ele. O Elias pede que ele fique. O Fernando responde que vai no banheiro.

— Também te estraçalho, o Elias diz.
— Quem, eu?, a Magda quer saber.
— Não, agora eu tô falando com o teu útero.

Ela fica quieta. A Rose ri. O Elias começa a passar a mão no rosto da Magda, e ela lhe dá um tapa sem vontade. Ele volta a acariciar as faces dela, que, depois de recuar, vai aceitando.

— Assim, ó: quando eu te levar pra cama, tu vai só lembrar que eu fiquei te olhando.
— Isso nunca vai acontecer.
— Vai. E tu vai achar mágico.
— Tu é um ridículo. É muito baixinho e nem os dentes bonitos tem. Vontade de te dar um tapa na cara.
— Dá.
— Aqui dentro não dá.
— Te espero ali fora.

O Fernando volta do banheiro e vê quando o Elias pega a Magda pela mão e a leva para o frio. Lá discutem. O Fernando senta e, como a cerveja tinha acabado, serve-se da malzbier das mulheres. A Rose puxa conversa.

— Ela gostou do teu irmão desde que vocês entraram.

O Fernando não comenta nada. A Rose fica olhando para ele.

— Não gosta de mulher?

O Fernando só quer fugir daquilo. Olha o seio da tal de Rose, uma mulher de uns trinta e cinco, quarenta anos. Quando vê, está olhando no olho dela, e então prefere beber a cerveja.

— Gosto.
— Mas então não gostou de mim.
— Não.

O Fernando nao tinha gostado da boca enrugada dela, das roupas faceiras demais, daquela cor desgastada da pele e das obturações escuras, antigas, que os dentes de trás mostravam quando ela ria. Passaria fácil por ela na rua sem notá-la. Mas não diz nada disso. A Rose se levanta, vai ao caixa e paga a conta. O Fernando faz o mesmo quando ela sai. Ele pega ainda uma cerveja pequena e vai enfrentar o frio. Vê o Elias dar uns beijos na Magda e depois ela ir atrás da amiga, que decidiu ir embora. Volta para discutir mais uma vez com o Elias. O Fernando passa por eles e segue para o hotel. Olha pra trás e percebe o que está acontecendo: que o Elias queria puxar a loira para o nosso quarto, e ela não podia deixar a amiga sozinha. Então, o Fernando escuta passos rápidos atrás dele. É a loira:

— Veado!

E segue pelo mesmo caminho da amiga. O Elias pede um gole da cerveja. O Fernando mostra a garrafa vazia na mão. Está angustiado, triste, como quem acaba de perceber que não tem para onde fugir. Caminhamos sem que o Elias encontre um modo de fazer o irmão falar.

— Preferiu a loira?
— Não gostei de nenhuma delas.
— Tá. Não tem nenhuma loira mesmo. Ali embaixo do poste de luz eu vi que era cabelo descolorido. Elas são primas. Vamos voltar pro restaurante. Preciso de mais cerveja.

Bebemos muito, repetindo assuntos, antes de voltarmos a passos curtos para o hotel. Como o Fernando se arrasta, o Elias volta-se para ele e não o encontra na neblina.

— Fernando!

Por um momento lhe vem a sensação do irmão morrendo de frio, perdido, e sem que o Elias possa achá-lo.

— Fernando!

Vê o vulto do irmão sentado num banco de rua, a cabeça muito baixa, e então julga que ele está tentando vomitar.

— Tá bem?

O Fernando chora, a cabeça nos joelhos. Chora quase sem fazer barulho.

— Que houve?

O Elias senta ao lado do Fernando. Não entende bem por que o irmão está chorando daquele jeito, mas julga que é por causa das mulheres. Descasca uma bala de menta e põe na boca. Estica uma até o Fernando, sacudindo a embalagem. Sem erguer a cabeça, o Fernando descasca a bala e põe na boca também. Aos poucos, o choro se encolhe mais, e o Fernando então tritura a bala nos dentes. Depois, levanta e convida o Elias para voltarmos ao hotel.

19
Hotel Brasil

No quarto, o Fernando evita falar do que tinha acontecido. Abre a caixa do Carlito, como para velar-lhe o sono. Não mexe no saco plástico. Quer dormir cedo, mas parece inquieto. Apagamos as luzes e o Fernando sente certa proteção. Conversamos no escuro, devolvendo à memória as paredes de madeira do nosso antigo quarto. Mas o Elias fala muito do dia seguinte, inclui o Carlos no que imagina, perguntando ao Fernando Já pensou? E o Fernando já pensou em tudo, e só responde que não quando o Elias pergunta, em intervalos de silêncio, Tá dormindo? E o Elias volta a falar do Uruguai, tão próximo, tão pequeno e tão imenso para ele. Diz que gosta da cerveja de lá, da comida, da literatura. Lembra as façanhas do futebol, lamenta que Ghiggia, o jogador que derrotou o Brasil em 1950, tenha morrido no mês passado e escala os melhores jogadores da Celeste, cada vez mais anestesiado pelo cansaço, cada vez mais na valsa das cervejas.

Até que o Fernando fica escutando os pingos do chuveiro, uma sequência mais frequente, outra mais espaçada. Tá dormindo?, é o Fernando quem pergunta e o Elias suspira sem responder. O Fernando pensa pra trás, os invernos que aprendeu a viver, a manta que herdou do Carlito quando ele começou a receber algum dinheiro do turfe, nós três enchendo a cara de coca-cola com cachaça, as festas de São João do bairro e a mulher de uns trinta e poucos, vestida de caipira, que beijamos juntos. Bebíamos e beijávamos aquela boca com dentes pintados de podre, e ela ria. Não sabíamos quem era, e revezávamos o beijo, do mais velho ao mais novo, aprendendo a roçar língua e a esfregar o nariz, num tesão de junho que talvez nenhum de nós pudesse esquecer. A festa era no mato no fim da nossa rua e, quando a fogueira começou a despencar, ela nos levou para uma parte afastada e escura e expôs os seios. Dois de nós beijamos os grandes volumes da mulher, que quis mostrar o sexo e mostrou: um triângulo negro, bastante peludo, onde o Carlito meteu a mão. Depois, ele baixou as calças. Mas então a mulher não quis, e ele insistiu, pegando ela forte pelos braços. Vimos nosso primeiro seio da vida ser guardado, a mulher fugir para perto da fogueira, nos ignorando pelo resto da noite. Aquilo tudo causou desconforto no Fernando: ele não achava certo forçar a mulher e temia que ela nos acusasse do que o Carlito tinha tentado fazer. O irmão mais velho riu do irmão do norte, mas o Fernando não riu mais: fugiu da festa e voltou para casa a pé, atravessando o mato sozinho.

No hotel, sob as cobertas de lã espinhentas, o Fernando não sente mais frio. Talvez tenha medo, como no restaurante onde o Elias tinha aceitado a provocação das mulheres. O chuveiro pinga. O Fernando levanta e, só de cueca e meias, enfrenta o piso gelado para ir ao banheiro apertar bem o regulador de água. Mas, ao deitar, as gotas insistentes encontram outro ritmo. Pelas horas vagas, também ouve um carro que chega ao hotel, pessoas falando alto, batidas de portas, voz de duas mulheres que conversam animadamente. Não entende o que falam, mas sente a doçura da voz feminina, a felicidade delas conversando sobre o que ele imagina serem seus filhos homens, e as deseja assim, mães sem rosto nem nome, e distantes, apenas vozes que têm cabelos longos e corpos iguais. Depois, uma motocicleta passa pela rua, e os cães de Santa Vitória latem aqui e ali, e um telefone distante e aquele barulho de noite que nunca é silêncio. O Fernando indo até o campo de futebol já uniformizado, jogando de ponta-direita e recebendo a bola e sofrendo uma entrada violenta que o atira pra lateral do campo, e uma briga e no meio da briga generalizada cavalos entram no jogo, pisam nos jogadores, dominam a cena onde se escutam sirenes de polícia sem polícia. Mas o Fernando não tem medo e acompanha os irmãos que fogem. Só o Fernando está sujo do jogo, com barro escuro a cobrir a cara. O Carlito está sentado na cama, no quarto azul, e fala que vamos levar uma surra se a mãe pegar o Fernando sujo daquele jeito sentado na cama. Mas o Fernando tenta dizer que pode se lavar. Os irmãos não o escutam. O Carlito fala mais algumas coisas para o Fernando, e o Fernando vê que o Carlito não é criança, é o mesmo Carlito que morreu na chuva, e ele aponta Ó, o chuveiro não para de pingar, e o Fernando vai até o banheiro para apertar mais o registro, e é o banheiro do hotel, e um homem está urinando atrás das cortinas do boxe. Entram no banheiro o Elias e o Carlito, e o Fernando teme que eles abram a cortina e vejam o homem que urina. Também teme que o homem pare de urinar e então apareça. Por isso, chama a atenção para a imagem no espelho: nossos reflexos lavam as caras, mas só o Fernando vê que nós dois somos mais velhos que o Carlito agora. O Carlito reclama que o Elias foi quem sujou toda a pia e parte para bater no Elias, mas o Fernando consegue segurar os dois. O Carlito sai brabo, dizendo que vai levar o Fernando para a Argentina. O Elias olha para o Fernando. E o Fernando sente um cheiro envelhecido no Elias e depois cheira as próprias mãos e as mãos estão com aquele cheiro de velho também. Atrás da cortina, o homem continua urinando.

20
Lagoa Mirim

Ao amanhecer, um tanto cansados ainda, seguimos as placas que indicam o porto. Conversamos alguma coisa sobre a neblina, que acentua mais a solidão do dia. Então, aos poucos, a cerração vai se esvanecendo e podemos ver a divisão no meio da estrada de concreto. Aquilo parece um fio não muito esticado, um fio remendado, a puxar nós dois pelo veio entre a vegetação sonolenta, rasteira e pontuda, entre as casas de madeira, pessoas de bicicleta ou a cavalo, as vacas, as galinhas e os cães. Que bicho é aquele?, uma garça-cinzenta. Que bicho é aquele?, uma galinhola, uma seriema, um marreco. Que bicho é aquele?, não sei.

Toda a paisagem, numa política inclinada de acordo com o vento, de repente se abre: à esquerda, um arroio repleto de barcos, e esqueletos de barcos, todos pequenos. À direita, uma fileira de postes vai até a imensidão clara da água, só interrompida pelo horizonte branco e um rascunho de torre onde deve estar o porto.

Descemos do carro e olhamos da plataforma antiga. Um trapiche de concreto estica-se até a lagoa. Está interditado. O porto se reduziu a uma colônia de pescadores. Alguns já estão limpando os primeiros peixes trazidos da noite. Aves de todos os tamanhos vagam entre o que é campo, açude e a provável lagoa, confusa pela neblina. Descemos até a encosta.

Deixando aqui e ali um pouco da água empoçada, a lagoa tinha recuado. Ao redor, vemos apenas uma planície onde as árvores praticamente desaparecem. Entre o capim baixo, crescem alguns juncos deslocados. É o que o Elias verifica.

— Em época de cheia, a lagoa cobre tudo isto aqui.

E o Fernando imagina a lagoa gigante, como que feita de algo enrolado, desenrolar-se e cobrir tudo. E imagina o capim afogado sob a água pesada, as pequenas elevações, a luz tentando chegar à terra que o dilúvio ocupa com seus peixes para imprimir o frio.

Mais próximos da água, tiramos fotos onde aparecem nossas sombras muito compridas, como que fugitivas. Depois, sentamos na murada de pedra e olhamos os pescadores dividirem bacições de plástico repletos de peixes. E há aquele momento então em que a neblina começa a se dissipar de vez, e a lagoa se mostra. Julgamos que é a Mirim inteira, porque entendemos que não tem mesmo horizonte.

— Uma lagoa sem medo.

Estamos lado a lado, de mãos nos bolsos. O Elias diz aquilo e o Fernando, mais uma vez, aprende a ver as coisas. Não tira os olhos da claridão da água e entende: a lagoa assusta o frio, e só então sente que estamos acordando.

Quando o telefone do Fernando toca, o Elias está perto. O Fernando se afasta um pouco para atender. Mas o Elias se aproxima, escutando o modo como o irmão conta a viagem. Escuta o Fernando dizer que não está cansado, que estamos bem, que não sabe se vai conseguir ligar quando estivermos no Uruguai.

— Diz pra ela que eu estou te cuidando.

O Fernando diz. Escuta alguma coisa, ri e depois desliga.

— Que bom que conseguiu falar com ela.
— É. Sabe que eu sonhei com nós três.
— Nós três quem?
— Eu, tu e o Carlito.
— Eu, se sonhei, não lembro. Tava cansado demais.
— No sonho tem aquela confusão de uma coisa emendar na outra. A gente tava jogando futebol, e aconteceu uma pancadaria no jogo. Eu tava

com a cara toda embarrada, e o Carlito apareceu. Eu vi nitidamente o rosto dele.

— Quando eu sonho com o Carlito nunca me vem a cara dele, a cara dele mesmo. Vem sempre uma cara dele parada, como se fosse de fotografia.

— Pra mim veio, mas olha só: ele tinha a idade dele de quando morreu, e a gente tinha a nossa de hoje. Entende? Ele era mais novo que a gente.

— É mesmo? O Carlito era o caçula então?

— Era.

— E a gente fez o quê?

— Quase nada, não lembro direito. Vocês me levaram pra lavar a cara no banheiro, mas daí era o banheiro do hotel. Senti que a gente parecia ir ficando mais velho.

— Tu me viu mais velho que agora no teu sonho?

— Não vi. Era o cheiro. A gente tinha um cheiro forte, um cheiro de gente que tá envelhecendo.

O Elias fica pensando: se encontrássemos o Carlito ali, naquele porto antigo, sem dúvida seríamos realmente mais velhos que ele. E claro que ele nos reconheceria mesmo assim. Envelhecemos sem deixarmos de ser os mesmos. Vivemos com o mínimo, aprendendo desde cedo a repartir, a herdar roupas em sequência: o Fernando, do Carlos; e o Elias, do Fernando. E crescemos também, engordamos também, perdemos cabelo e dinheiro. Mas o irmão mais velho ainda nos chamaria de herdeiros, senão das roupas, de qualquer outra coisa. Porque, depois de tudo, o Elias professor não tinha mesmo mais do que o Fernando taxista. E apesar disso, o que espanta é que tenhamos vivido distantes. Depois da morte do Carlito nos tornamos o resto, aquilo que não precisa ficar inteiro. Mas só agora, viajando juntos, um parece envelhecer o outro. É mesmo deste modo: para envelhecer, temos que continuar, os vivos, lembrando o que nos é comum.

— Tu acha que a gente é o resto, Fedor?
— Quê?
— Eu tinha que ter sonhado isso também.

O Elias se imagina mais velho que o Carlos. E imagina então que ele, o Elias, é o jóquei. E ainda assim, sente que nunca chegará a ganhar corrida alguma.

— Qual era o segredo do Carlito?
— Como assim?

Começamos a voltar para o táxi, o Fernando esperando que o Elias explique as perguntas. Mas o Elias pensa apenas no segredo do irmão mais velho.

— As mãos. O segredo do Carlito eram aquelas mãos dele.

Por isso o Carlito era o melhor no frio. As mãos sempre quentes convenciam qualquer cavalo a correr. Não tremiam, mesmo que o resto do corpo todo vacilasse e pedisse conhaque.

Retomamos a estrada, convocando imagens quase todas comuns, e já seguimos para o Uruguai, e o Elias quer contar, ainda no Brasil, que o Carlito foi encontrado com as mãos fechadas, o bombeiro Max dizendo que ele parecia pronto para brigar. E o Elias pressentia que, se pudesse abrir os dedos do irmão mais velho, sentiria ali o último calor das mãos combatentes. Era jóquei?, o bombeiro perguntou, emendando que o Carlito devia estar imaginando que, se abrisse as mãos, ia perder o cavalo. Ao Elias pareceu outra coisa: quis ver o irmão ainda com vida e não deixaram. Antes dos outros parentes chegarem, sentiu quando o hospital ficou mais gelado e chorou sozinho. Procurou um bar para beber alguma coisa e não achou nada. Ao retornar, com a chuva pesando de novo, tinha as mãos duras de frio. Encontrou a família que chegava, toda encasacada. Falou coisas que nunca lembraria. E arrastou o Fernando até a chuva para dizer aquilo. O Fernando tremia, claro que era pelo Carlito, claro também que era pelo frio. E o Elias pegou no casaco grosso do Fernando e esfregou as mãos. Queria um casaco daqueles. Ou então, precisaria inventar mãos iguais às do Carlos: desde cedo, o mundo se dividia, sempre tinha sido assim, entre os que sentiam e os que não sentiam frio.

21
manhã de
domingo

Passamos do Chuí brasileiro para o uruguaio com um sol escondido entre as nuvens. Na migração, mostramos os documentos, preenchemos papéis, quase respondendo que somos três. Falam portunhol para entendermos a pergunta: iremos de táxi até onde? Até Colônia do Sacramento, o Elias responde. Um policial comenta alguma coisa que não entendemos mais. Discutem entre eles sobre os documentos do carro e a identidade do Fernando, certamente desconfiando de que é um táxi roubado do Brasil. Não olham nosso porta-malas, e, como os documentos estão corretos, seguimos. Quando deixamos a alfândega, o Elias comemora.

— Aí, vamos entrar em Punta del Diablo. Um professor da escola me disse que vale a pena conhecer. Dá tempo?

— Dá. A gente acordou cedo.

— Não tem música em espanhol neste táxi?
— Tenho que achar. Quando a gente parar eu vejo.
— Põe o rádio então.
— Pega rádio aqui?
— Deve pegar as rádios deles.

E o Fernando liga o rádio, procurando uma estação sem chiados. Acha uma em que comentam alguma coisa, o Elias entendendo que haverá eleições no Uruguai. Conversam uma mulher, provável candidata, e o radialista. O Elias vai trocando, até achar música.

A autoestrada uruguaia parece impecável ao Fernando, tanto que um longo trecho serve de pista de pouso emergencial de aviões. Todas as sinalizações de solo crescem, o asfalto se alarga e só nós diminuímos, e, leves, imaginamos o avião enorme que desce, ali, na faixa preta entre campos e vacas paradas, o Uruguai inteiro uma fazenda. Se sorrimos juntos, é porque repentinamente nos sentimos no avião de brinquedo, dos tempos em que o Carlos era o irmão mais velho.

— Isto é uma pista de avião?
— Muita coincidência.

O Elias fica olhando o Fernando. No pátio daquela casa, os materiais de construção descartados: o cavalete no centro, os dois tamboretes baixos atrás, o assento de cadeira, a carcaça do ventilador. O Carlito pilotava, e o Elias cuidava da metralhadora. As asas dependiam do Fernando, o mais alto, que ficava no centro simulando os movimentos que o Carlito ordenava que o avião fizesse, como a uma tripulação. Partíamos para as guerras imaginárias onde caía gente sem sangue — a I, a II Guerra, e a III, aquela revelada por um dos segredos de Fátima, o Vietnã e as Malvinas. Nossos amigos da vizinhança faziam o lado inimigo, e disparávamos tiros fazendo o barulho das balas com a boca: matávamos alguém que podia se levantar e discutir que tinha sido apenas ferido, que tínhamos errado, que não tínhamos mais munição, e então o morto estava vivo e podia reclamar sua vida e voltar à guerra, bastando que as mãos imitassem uma arma e a boca disparasse outro tiro. Se atingissem nosso avião, valia a mesma regra dos argumentos — apenas avaria —, e íamos para o pouso de emergência num lugar seguro. O avião só passou a cair mesmo quando o Carlos inventou os paraquedas — bastava que a gente estivesse com qualquer mochila —, mas aí a obra na casa do Fernando estava concluída, e as asas do avião há muito já tinham sido recrutadas para segurar reboco.

Para onde pode ir nosso avião agora, se o que nos falta não é uma pista assim, mas o próprio avião? Onde pousar o táxi vermelho, se nos sentimos miniaturas, apertados por um de nós não saber dirigir ou porque o outro foi incapaz de encontrar alguém caído na chuva? Melhor esperar que a estrada encolha e volte ao pretume original, com listras brancas centralizadas, com sua normalidade de ter por nome só um número, a Ruta 9, e o silêncio de coisa indistinta por onde se passa a noventa quilômetros por hora e nem se nota.

    Nos olhamos de canto e então com sorrisos. Entendemos que a brincadeira do avião é curta, porque, mais que brincadeira, é a evocação de uma alegria. Dirigimos com medo de que o engenheiro da obra, o homem ruivo que nos vê subir no avião, venha estragar a nossa fantasia com os mandos que usava para os pedreiros. Que não só nos mande embora, como quando chegava na obra, mas que, fiscalizando de cima dos andaimes a nossa guerra, intrometa cálculo, história, qualquer dado que nos pareça real a ponto de não mais acreditarmos na batalha que estamos travando. E daí que ele dissesse aquilo de aviões da III Guerra não usarem hélices? Porque sabíamos que, para brincar, era vital acreditar que não estávamos brincando. E era preciso mandar que se fodesse a realidade que explicava como as coisas funcionavam. E então, num táxi que nos devolve ao asfalto de outro país, temos vontade de que o irmão ao nosso lado responda se basta levar o Carlito até os cavalos da Argentina, basta? Ou será preciso, mais que dirigir até lá, que voltemos a brincar, a brincar para que a tal realidade se foda mesmo?

    — Ô, Elias, tava pensando no avião?
    — Quando foi?

— Foi na obra lá de casa.
— Tá, mas quando?
— Não sei. Foi naquela casa que o pai mandou reformar logo que a gente chegou a Guaíba. Acho que as lembranças não têm mesmo data, só lugar. Lembro de coisas do norte de Goiás, uma viagem ao Maranhão, eu perdido no meio de um incêndio na mata. Mas não me pergunta quando foi.
— Como é que é? Lembrança só tem lugar? Mas e as pessoas?
— Ué, as pessoas são o que a gente lembra. E a gente lembra delas num lugar. Não acha?

O Elias não sabe ao certo. Admirado daquele raciocínio do irmão, desvia para a paisagem iluminada antes de responder. Olha para as mãos, primeiro as palmas, depois o dorso, e fica ainda olhando os dedos apontados para o próprio rosto, como quem avalia as unhas.

— Acho que eu concordo contigo. O tempo tá aí, embaixo desses campos, dessas pedras, até embaixo do couro das vacas. Imagina só, os índios viviam aqui. A gente vive pisando em cima deles o tempo todo.
— Agora não entendi.
— Tô dizendo que tu tem razão: o tempo é um lugar, sim. É cada camada que vai se criando sobre outras. Só cavando muito a gente encontra o lugar onde se divide uma coisa da outra.
— Parece que tu estudou isso.

— Não, parece que tu estudou.

— Lembra aquela nossa fotografia, Elias, nós três juntos no avião? Pra mim não interessa quando foi. A gente ainda não era irmão naquele chão de terra, lembra?, naquele dia.

— Sabe onde foi parar aquela fotografia?

— Achei que estava contigo.

— Não. Já perguntei pra mãe, e também não ficou com ela.

— É difícil saber quando foi a última vez que a gente brincou, mas brincou mesmo, acreditando. Só me vem a obra lá da casa do pai. Sei que foi lá.

— Também acho, Fernando. A gente parou de brincar quando acabaram com o nosso avião mesmo. Pra mim, o fim das guerras é a casa de vocês pronta, o reboco, a tinta verde, as telhas, parece que tudo tentou apagar a lembrança. Mas a nossa lembrança é aquela construção.

Supondo que a casa do avião ainda exista, tão modificada agora, que pareça outra, prestamos atenção numa música do rádio, talvez para que possamos sair daquele pátio repleto de tábuas, pregos, cimento e areia onde dois pedreiros fumavam um cigarro forte sem nunca terminar de construir a casa de onde voava o nosso avião para as três grandes guerras.

— Olha só que música, Fedor.

O Elias aumenta o volume. Ficamos atentos à letra, tentando entender: Aquí donde fabrican /

La lágrima infinita / Y el dueño de la noche ordena oscurecer.

— Bonito.
— Tá entendendo?

Allí donde suplican los rostros del Guernica / Huyendo del espanto de una estación de tren.

— Mais ou menos.
— Guernica é aquele quadro do Picasso, da guerra.
— Sei. Que música é essa?
— O radialista deve dizer quando acabar.

Se esperan tantas cosas del mañana / Cuando se tienen solo dieciséis.

Escutamos a música até o fim, e aquele verso que fala dos dezesseis anos fica sem autoria, porque o radialista fala do horário e já coloca no ar uma propaganda de leite. Mas o Elias quer falar sobre a música, e mostra a paisagem do Uruguai, e o Uruguai todo vai ficando mais claro para o Fernando. Mais uma vez: como era aquilo?

— Parece que tu sabe tudo.
— Não sei nada.
— É que, quando tu fala dos bichos, por exemplo, eu enxergo melhor as coisas.
— O que eu sei é genérico. Funciona para todos os bichos. É a mesma coisa que dirigir.
— Não entendi.

— A pessoa aprende a dirigir e dirige qualquer carro, não é assim?

— Não sei, pra mim dirigir é só prática.

— Mas tu dirige qualquer carro, não dirige? É porque os carros seguem um funcionamento parecido.

— Nunca pensei nisso.

— No geral, no geral, tenho certeza que tu pode pegar e sair dirigindo qualquer carro.

— É, até acho que posso dirigir qualquer carro, mas não sei por quê.

— Então não é só prática. Os carros não são todos iguais, e praticar tu pratica só neste aqui.

O Fernando acha que não sabe nada, que dirigir é só um costume. Mas lá vem o Elias dizer que, para dirigir, é necessário um conhecimento.

— Queria muito voltar a estudar.

— Por que não volta?

— Porque meu negócio é dirigir este táxi.

— Não precisa largar o táxi para estudar. Tu já tem o ensino médio, pode fazer uma faculdade de noite, por exemplo. Tu ia querer estudar o quê?

— Veterinária.

O Fernando gosta da ideia. Dirige enquanto o Elias fica olhando para ele, sabendo que a cabeça do irmão está indo estudar os bichos, e é bom que nos sintamos um pouco parecidos assim.

22
Punta del Diablo

— Já foi alguma vez num centro espírita, Elias?
— Não.
— Eu fui.
— É?
— Sei lá. Queria saber alguma coisa da mãe, do pai. Do Carlito. A mulher falou de um por um e disse que a mãe e o Carlito já tinham reencarnado.
— Fala mais.
— Ela me explicou que o corpo se vai e outro corpo vem, mas que o espírito é uma espécie de consciência que não muda. Que o Carlito pode ser qualquer homem mais novo que nós agora. Ele agora pode ser mesmo o caçula.
— E por que tem que reencarnar homem?
— Porque raramente acontece do espírito de homem reencarnar em mulher e vice-versa. Mas aconteceu comigo: ela me disse que na outra encarnação eu fui mulher.

O Fernando tenta um acesso à internet, enquanto dirige devagar. Irrita-se e pede que o Elias guarde o telefone no porta-luvas.

— Acredita em reencarnação, Elias?
— Não sei se é a mesma coisa. Mas acredito assim: na Biologia a gente sabe que o nosso corpo não é nosso. O gavião come aquela cobra lá da estrada e incorpora a cobra, que incorporou o sapo, que incorporou o gafanhoto, que incorporou as folhas de uma árvore. A gente também é feito daquilo que a gente come. No nosso caso, também daqueles que a gente conhece. Então acho que vamos trocando de corpo.
— Troço bonito isso.
— Li uma vez que, mais ou menos a cada sete anos, o corpo que a gente tinha já mudou todo, molécula por molécula, célula por célula. Então acho que a gente tá sempre reencarnando, sempre mudando.
— É. O que fica é o espírito.
— Pra mim, é só a memória.
— Pra ti o espírito também vai mudando?
— Tomara que sim.

Seguimos o roteiro do mapa e das placas até Punta del Diablo, uma enseada repleta de pedras, barcos de pescadores, casas de veraneio, numa combinação de cores que joga com as construções mais antigas. O Elias é o primeiro a descer do táxi e, como se fosse criança, corre até a praia. O

Fernando sai e se escora no carro e fica olhando. Tem vontade de fumar. Acha a carteira de cigarro amassada no porta-luvas, uma caixa de fósforos e acende. Um prazer intenso, antigo, lhe percorre o corpo. Vê o Elias subir nas pedras, depois caminhar pela areia. Não distingue bem o que acontece, mas vê quando ele tira o casaco e os tênis. E então adivinha que o irmão vai entrar no mar. Pega a máquina fotográfica, fecha o carro e vai até a praia.

Acha o Elias já na água, entrando cada vez mais, mergulhando e olhando para o sol. O Fernando entende rápido como funciona a máquina e tira algumas fotos. Tenta ampliar o zoom, mas prefere se aproximar mais. Acha uma pedra seca onde sentar. Tudo dura um único cigarro. Grita para que o Elias ouça:

— Tá boa a água?

O Elias sai do mar sem responder ao Fernando, que tira uma foto e então vê no rosto do irmão o frio intenso. Resolve gritar mais alto:

— Parece louco entrar nessa água fria.

E larga o cigarro porque o Elias não fala. Está ajoelhado na areia, abraçando o próprio corpo, a cabeça sempre baixa. O Fernando pega a cabeça do irmão e vê que a boca está roxa e que as mãos têm acessos de tremor. Corre com o Elias até as pedras e cobre-o com o casaco. Depois, vai ao carro buscar cobertores. Abafa o Elias, fazendo que se seque. Embrulhado pelo Fernando, o Elias se encolhe e fica ali, tremendo cada vez menos. Quando julga que ele conseguirá caminhar, o Fernando resolve levá-lo até o táxi.

— O que foi isso, Elias?

O Elias já treme pouco, mas ainda não fala. O Fernando acende outro cigarro, vai até as pedras buscar as coisas do irmão e a máquina fotográfica. Depois, o ajuda para que se vista. E assim ficamos, sentados, olhando para a frente e colhendo algum sol, até que o Elias se sinta melhor.

— Não vai falar o que houve, Elias?
— O mar tá gelado, caralho.
— Tô perguntando por que entrou na água.
— Não sou de ficar só olhando.
— Eu sou: olha aqui.

O Fernando estende a máquina e mostra a foto que tirou. O Elias vê um vulto, saindo da água, mas não se reconhece na foto de um homem que levou um susto.

— Sabe que foto é esta? É a foto do Elias sentindo frio.
— Não foi frio. Me deu um troço, só isso.
— Tá bom. Quer voltar pra água, volta. Pra que essa bobagem de achar que não sente frio?
— Ah, vai te foder.

O Fernando dá a partida e dirige com uma mão só. A outra segura o cigarro que ele leva fora do carro, numa fresta de janela. O Elias ainda seca o cabelo quando retornamos à estrada.

— Fumando agora?
— Pois é. Eu fumo. Não vai contar o que tu sentiu lá na praia?
— Foi uma coisa tipo "a alma do frio".

Pelo espelho, o Fernando acompanha quando o Elias se encolhe, e depois fecha os olhos, e dorme.

23
Punta del Este

O Elias acorda quando o carro para. O Fernando diz que estamos perdidos e o Elias entende que não devia ter dormido. O Fernando ainda insiste em conseguir uma conexão mínima no telefone, mas agora parece desistir de vez. Desce do carro e abre o mapa sobre o capô. O Elias pisa sobre toalhas molhadas, lutando contra o acontecido, e isto o deixa triste. Quando desce, vê o Fernando avaliando as rotas. Percebemos que tínhamos saído da Ruta 9. O Fernando não cogita retornar. Dirige até um trevo, reclama de fome e decide entrar em Punta del Este.

Entre casas espalhafatosas, carros de luxo e a luz aberta de um meio-dia, encontramos poucos lugares abertos, quase todos de aparência sofisticada. Então atravessamos uma zona mais movimentada e procuramos algo mais simples.

— O que quer comer, Elias?
— Não tô com fome.
— Só com frio?

Quando começamos a ver carros populares, do nada o Fernando estaciona em meio a um terreno baldio, e só daí o Elias vê o quiosque.

O Elias desce antes. Vai sentar numa pedra e fica pegando sol. O Fernando entra no quiosque. Não é bem um quiosque, mas um improviso, com uma cobertura toda irregular de santa-fé, cujas frestas deixam nacos grossos de luz sobre um balcão de madeira felpuda. No mais, uma classe de colégio onde estão baldes, talheres e toalhas. Há ainda uma geladeira e um forno de tijolos. Entendemos com dificuldade que um uruguaio faz pizzas compridas que assa na hora. O Fernando aponta sabores com o dedo e pede uma coca-cola. O Elias, branco de sol em cima da pedra, grita que quer uma cerveja. O uruguaio mostra a garrafa de litro, e o Elias diz que sim. E então o Elias vem e sentamos juntos. O uruguaio recebe o pagamento de um casal que veio buscar um pacote e, com as mesmas mãos que guardam o dinheiro no bolso e dão o troco, estica a massa da nossa pizza, espalha os condimentos e leva ao forno. Ficamos olhando para aquelas mãos que ainda nos deixam os talheres, pratos e guardanapos de pano sobre o balcão.

Na hora de comer, a pizza vem apagar qualquer impressão ruim. Sobretudo a massa é muito boa. O Elias come pouco. Depois, fica bebendo a cerveja e se mostra mais animado, já perguntando o nome do uruguaio, Pepe, e mostra ao Fernando o quanto a cerveja é cremosa. O Fernando bebe um gole e pergunta, escandindo as sílabas, qual a melhor rota para Sacramento. Vamos entendendo que teria sido melhor pegar a Ruta Interbalnearia até Montevidéu. Perguntamos se não dá para evitar Montevidéu, e ele responde que é mais perto passando pela capital. E aponta: é só seguir reto que acabaremos na Interbalnearia.

Mas trafegamos reto por quase dez minutos sem nenhum sinal da tal rodovia. Perguntamos num posto de gasolina, duas vezes a pedestres, e nenhum de nós entende bem as explicações. Não há uma sinalização de rua. Perdidos, temos a sensação de estar andando de um lado para outro. Um motoqueiro não consegue se fazer entender e sinaliza para que o Fernando o siga, e é assim que chegamos a um bairro pobre para os padrões da cidade. O motoqueiro aponta a rua que desembocará na ruta, mas o caminho nos leva de volta à parte rica de Punta e depois ao quiosque do Pepe. Acabamos inventando caminhos e, irritado, o Fernando para o carro. Já começávamos a discutir quando o Fernando vê os cavalos num pátio de casa. Consegue falar com aqueles ali?

O Fernando não chega a dizer isso, mas é o que entendemos, porque o Elias desce do carro. E o Fernando vê que um homem dorme sentado numa cadeira ao lado da casa. Vê quando o Elias se encosta no muro e chama um cavalo e começa a acenar e a falar com ele. Vê o cavalo preto, que reluz à tarde, se aproximar e vê também quando começam a conversar. O Fernando vê ainda quando o Elias tosse, quando o cavalo preto começa a rir e quando o homem salta da cadeira e vem xingar o Elias. Mas não vê quando o Elias entra ofegante no táxi, porque já dá partida para sairmos dali. E só depois que o Elias respira forte e vai se acalmando, o Fernando pergunta o que o homem tinha gritado. Mas isso o Elias não entende. Entende apenas que devemos fazer o retorno na praça logo à frente, e já chegamos à praça, e então pegar a terceira entrada, que logo virará a Interbalnearia.

— Mas o cavalo tu entendeu?
— Claro.
— Os cavalos daqui não falam outra língua também?
— Vi que não.
— Mas como é que pode?
— Acho que os cavalos são o país deles.

O Elias tosse, e o Fernando fica pensando na ideia de um país só de cavalos. Tudo é campo, eles correm quando querem, negociam espaços entre eles, fazem filhos, e a comida verde cobre o chão. É um país sem sobrenome, e os cavalos não olham para a frente, porque, assim, cuidam melhor de quem corre ao lado. O Fernando olha o Elias. O

Elias não vê. Olha a rodovia perfeita, com sinalização clara e constante. Não nota quando o Fernando para num acostamento e o faz, sonâmbulo, deitar no banco de trás. Então o Elias dorme fundo por mais de uma hora. Dirigindo o táxi e escutando uma seleção de músicas conhecidas, é como se o Fernando também dormisse, porque só dá por si quando o Elias acorda e fica olhando a paisagem, no vão entre os dois bancos da frente.

— Dormi como se tivesse desmaiado.

É uma tarde iluminada. Nos dois sentidos da rodovia o fluxo é grande.

— Como é ser taxista?
— Primeiro me diz como é ser professor.
— O que que é? Não sei responder direito. Eu entro na sala, dou bom dia, faço a chamada, deixo de ser quem eu sou aqui fora e dou a minha aula.
— E como é a tua aula?
— Já não sei mais. E olha que dou a mesma aula a vida inteira.
— Não acredito.
— É o que os alunos dizem entre eles.
— Mas tu fala sempre a mesma coisa?
— Basicamente sim. Acho que a vida também é assim. A gente vive a mesma coisa. A vida é uma repetição.

O Elias tosse.

— Mas os alunos não são diferentes?

— Só que parece que o meu conteúdo interessa cada vez menos.

— Sempre achei que o professor podia aproximar as pessoas.

— Pode ser. Mas a escola aqui fora é mais forte.

— Então os alunos não querem mais saber de Biologia?

— Não sei se é isso. O problema é que eu não interesso mais. Eu mesmo acho que estou sempre errado. Quanto mais eu estudo, quanto mais eu leio, mais eu pareço errado. Não sei se todo professor vive assim, mas eu vivo cheio de dúvidas. E os alunos percebem isso. Já pensei em parar.

— E ia fazer o quê?

O Elias ri e tosse.

— Não, tu nunca ia aguentar dirigir este táxi aqui em Porto Alegre.

— E como é dirigir um táxi?

— É ir de um lugar ao outro. É só o que eu sei fazer. O bom é que eu não tenho patrão e não preciso ficar falando da minha vida. As pessoas falam aonde querem ir, e eu pego o caminho mais curto. Se querem conversar sobre a chuva, a cidade, sobre futebol, eu respeito a opinião deles e repito as mesmas coisas que dizem. Sempre concordando.

— Sempre concordando?

— Sempre.

O Elias olha para o Fernando.

— Tu te esconde no táxi, é isso?
— É.
— Te esconde do quê?
— De várias coisas, mas sobretudo das pessoas.

O Fernando está pensativo, dirigindo sem tirar os olhos da estrada.

— Lembra que o Carlito nos chamava de herdeiros quando nos via com as roupas dele que a mãe ajustava pra mim e depois pra ti?
— Lembro, claro.
— A gente continua herdeiro dele.
— É. E nem parece mais que a gente tá levando o Carlito.
— Mas ele tá lá atrás. E a gente tá levando ele, sim.
— E acha que, se a gente confessar alguma coisa aqui, ele nos escuta?
— Claro que sim.

24
Ruta
Interbalnearia

— Fernando, tu te lembra de muita coisa de antes da gente virar irmão?
— Não muita, mas alguma coisa eu lembro.
— Conta uma lembrança que tu tem.
— Sobre o quê?
— Não sei, uma viagem.
— Uma viagem? Para onde?
— Não viajou lá pelo norte?
— Viajei, sim.

O Elias tosse. O Fernando fica abrindo a memória, buscando pessoas, nomes, paisagens.

— Sabe que o meu vô Oriundo foi caçador de veado-catingueiro? Diziam que ele nunca tinha comido carne que não fosse de caça. Desde que eu me lembro, acho que eu comia aquela carne que ele trazia mesmo. Depois, virou vendedor e daí deixava o dinheiro que a mãe usava para pagar os caçadores que vinham lá em casa pra trazer caititus. Também passavam pela rua uns pescadores. Pois o velho virou caixeiro e saiu pelo Brasil como vendedor de bebidas. Vendia por Goiás, pelo Maranhão, pelo Pará. Uma vez ele trouxe um couro de onça-preta, que ele dizia que tinha caçado, mas que a mãe desmentia, dizendo que alguém tinha dado aquilo em pagamento de alguma compra que o velho não conseguiu cobrar. O Oriundo deixava a onça dentro do roupeiro, pra gente não ir roubar as moedas dele. E funcionava, porque eu só olhava a onça de longe. E eu assustava as visitas da casa, pedindo que abrissem a porta para pegar alguma coisa que eu não alcançava. E, olha, mesmo morta, com os dentes amarelos e pontudos, e os bigodes duros, a onça ainda tinha cheiro de onça.

— E como é o cheiro de onça?

— Não sei dizer. É forte. Acho que ela tem um cheiro misturado, dos bichos que ela vai matando e comendo. Meu avô dizia que ele era que nem onça: só matava pra comer. E era verdade. O vô morreu em Imperatriz, no Maranhão. A gente morava lá com ele, numa casa de alvenaria sem forro. Logo que ele morreu voltamos pra Guaraí, que ficava no Goiás daquela época. O pai e a mãe foram antes, pra ajeitar as coisas. Eu fiquei com a tia Isolete e depois embarquei num ônibus com o meu primo, o Anselmo. Ele ia me acompanhar até Guaraí. Era a primeira vez que eu andava de ônibus e, do assento do corredor, eu ouvia o motorista explicar pro Anselmo que era melhor a gente não seguir viagem, não ir adiante. Se em Imperatriz estava tudo alagado e era uma cidade grande, como ia estar mais à frente, nas cidades pequenas? O motorista dizia que era melhor que a gente dormisse na cidade dele. Mas o Anselmo balançava o cabelão crespo, que cobria os olhos, e insistia que a gente devia seguir viagem. Que era preciso voltar, não por ele, mas por mim, que a mãe me esperava. Chovia o mundo, e aquele ônibus velho balançava na pista. Tinha água por tudo: em cima, embaixo e dos lados. Uma água que cheirava a verde, ao verde dos periquitos-vassourinha. Me lembro que eu pensei isso. Sabe como é o periquito-vassourinha?

O Elias tosse um pouco.

— Tu ia gostar de ver. É um periquito que tem a cor da grama novinha que tá nascendo. Do meu lugar no ônibus, eu via os limpadores do para-brisa prum lado e pro outro, lá longe, quando passava algum carro e o reflexo vinha e balançava a cabeça do motorista. Mas acho que não era noite, porque, se fosse, o Anselmo ia estar sentado do meu lado, na outra poltrona, e não lá na frente, perto do motorista. E eu fiquei calado. Não tinha chorado a morte do vô nem da vó Belisa, que morreu antes. Mas me dava uma tristeza esquisita de ver o Anselmo lá na frente, conversando com o motorista. O ônibus parou só uma vez, e entraram dois velhos. Ouvi um deles tossir e dizer pro motorista que o mundo estava se acabando em água, que toda a Belém-Brasília era um rio só e que a ponte no Estreito estava balançando por causa da enchente. O vô Oriundo contava que a Belém-Brasília era uma estrada tão comprida que, se a gente começasse a andar nela quando criança e fosse até o fim e voltasse, já poderia escolher o que queria ser. O vô dizia também que a ponte do Estreito era enorme, tão alta, segura. Que, na inauguração, um avião tinha passado por baixo dela, e que as pessoas viram o piloto acenar quando o avião subiu e ficou parado no ar e depois veio e mergulhou de novo, voando e desaparecendo no comprido do rio Tocantins.

— Que época isso?

— Do avião? Não sei. O meu primo Anselmo veio do lugar perto do motorista. Ele pegou um pedaço de bolo de puba e a garrafa térmica com chá de cidreira e me deu. Por isso eu achei que já era noite. Depois ele pegou uma toalha bem quentinha, dobrou e colocou atrás da minha cabeça e pediu pra eu dormir. Me lembro que ele falou pra mim assim: O motorista disse que lá no Estreito não está nada bom. Aquilo me deu um medo. Daí eu me encolhi perto dele. Só entrava a luz, de vez em quando, dos faróis das carretas cruzando a Belém-Brasília. Acho que eu adormeci, pois fui sacudido quando o ônibus parou forte. Saí do meu lugar e caminhei meio bobo pelo corredor. Fiquei atrás do motorista, que falava com o Anselmo. O motorista fazia uns gestos, uns círculos, com a mão direita, mostrando o mundo estampado no para-brisa do ônibus. Vi que não era noite, porque eu conseguia avistar a cumeeira das casas do Estreito e, mais longe, o arco da ponte, e em cima dela algumas pessoas e uns carros. Tinha parado de chover. O Anselmo sentiu minha presença, olhou para trás e perguntou se eu estava bem. O motorista perguntou pra ele o que estava acontecendo. Nada, eu disse pro motorista, brabo. E, quando o ônibus parou, o Anselmo me puxou pela mão pra me ajudar a descer. Era a primeira vez que eu via um rio tão grande. Porque foi assim que o rio Tocantins apareceu pra mim, tão alto que cobria o vão da ponte, lá por onde o avião devia ter passado.

— Que história mais estranha essa, Fedor!

— O Anselmo disse que a gente tinha que subir o rio num barco até a ponte, onde outro ônibus esperava. E ficamos com as mochilas ali, perto da ponte, e então eu comecei a chorar.

— Chorar por quê?

— Eu queria urinar mas não disse. Daí o primo me mandou calar a boca, e eu chorava mais ainda. Eu estava sentado no chão, num tijolo úmido, e só daí eu disse que queria urinar mas tinha vergonha.

— Vergonha de quê?

— Do meu primo. Mas escuta só: nem sei como te contar isso, mas ele se irritou comigo e me puxou por um braço até umas árvores fechadas, ao lado da ponte. Disse que ali ninguém estava vendo. Eu não quis fazer, e ele então me colocou de joelhos com um empurrão, baixou as calças e começou a urinar na minha cara.

— Ele mijou na tua cara?

Pelo espelho, o Elias vê os olhos do irmão molhados. O Fernando encara o Elias, esperando que ele entenda. Depois desvia os olhos para a estrada, mas o Elias enfia a cabeça entre os bancos da frente pra olhar de perto o irmão. O Fernando respira fundo.

— Ele urinou na minha cara e ainda mandou eu abrir a boca.

— Por que ele mijou na tua boca?

O Fernando não responde.

— Depois me deu a toalha e disse: Seca o rosto. Daí voltamos à ponte e surgiu o pescador que trazia a voadeira e entendi que a gente ia nela. Foi o Anselmo que levou nossas mochilas até a voadeira.

— Que é uma voadeira?

— É um tipo de lancha. O Anselmo me disse que precisava voltar no ônibus, que ia buscar alguma coisa que tinha esquecido lá. Mas naquela noite, com a bexiga doendo, eu só olhava a cheia do rio, que nem sei quanto tempo ele demorou lá. Quando ele voltou, a gente entrou rápido na voadeira, e o pescador foi se aproximando da ponte e nos guiou até encostar bem no lugar da emenda do asfalto. Ele jogou uma corda. Um homem do outro lado pegou a corda e amarrou na lateral da ponte. O pescador pegou a minha mochila e a do Anselmo e atirou pra cima da ponte. O outro homem me ajudou a subir. Parei para olhar pro rio, e isso é o que mais me lembro: de cima da ponte ele não parava.

— Ele quem?

— O rio. Já viu um rio cheio? O Tocantins fazia giros, corria, levando galhos e pedaços de coisas. Meu primo, segurando minha mochila e a dele, disse que o outro ônibus já ia seguir viagem. E foi nesse momento que me aproximei da lateral da ponte, finquei os dois pés no cimento, e enquanto olhava o rio bem próximo, passou um cachorro, que tentava se manter vivo sendo levado pela correnteza. Era um filhote, e ele afundava e ressurgia, coitadinho, e foi indo com o rio. Quando não vi mais o cachorro, abri o fecho da minha calça e urinei na água, imaginando que era aquele o lugar por onde o avião devia ter passado. Pessoas que entravam no ônibus me olharam. O Anselmo também ficou me olhando. Pois eu olhei bem pra cara dele, depois fechei a calça. Ele veio. Parecia que ele ia me atirar da ponte.

— Mas não te atirou?

— Claro que não. Ele me puxou pra ir com ele até o ônibus. E depois, enquanto o ônibus percorria a pista mais seca daquele lado, eu não consegui dormir. O Anselmo pegou duas mangabas da mochila e me ofereceu uma. Eu não consegui comer, porque não estava bem madura e eu mal conseguia cravar os dentes. Daí devolvi pra ele. Ele pegou as duas mangabas e foi comendo, arrancando pedaços com os dentes e guspindo as sementes pela janela, que nem um bicho. Depois ele fechou os olhos e dormiu. Eu olhava o rosto dele dormindo, que nem uma estátua quando bate luz, sabe? Ele não tinha me dado a toalha para eu colocar na cabeça. Ele segurava a toalha na mão.

— E o que que tem a toalha?

— Era a toalha que eu tinha usado pra secar a urina do rosto.

— E depois?

—Depois, chegamos tarde em Guaraí, eu com uma dor de cabeça muito forte. Minha mãe tinha conseguido uma casa de alvenaria pra gente morar e um trabalho de doméstica. O pai ia trabalhar numa madeireira — madeireira de madeira mesmo, não que vende material de construção. Ele já tinha ido pro Maranhão e pro Pará tentar o garimpo. Mas estavam matando muita gente por lá. Em Imperatriz mataram meu padrinho. O pai um dia disse que tinha cansado de amassar barro vermelho, e eu não entendi aquilo.

— E como é que vocês vieram pra cá?

— É que daí o pai veio tentar trabalhar com corte de eucalipto aqui, que a fama da celulose era grande. Tinha descido gente do Pará.

— E o teu primo?

— O Anselmo foi pro Rio de Janeiro, ou Espírito Santo, não lembro. Vi todo mundo falando mal dele e também senti raiva por causa daquela vez, quando ele urinou na minha cara. Isso um pouco antes do pai e a mãe decidirem que a gente vinha pro sul.

— É tudo gente da tua mãe?

— É. Da gente do meu pai eu não conheci ninguém. Nem me fizeram falta.

O Elias fica olhando o Fernando dirigir até pararmos num posto para abastecer. No banheiro, o Elias diz que está com febre. O Fernando coloca a mão na testa do Elias, e ela queima mesmo. No carro, o Elias abre uma caixa de plástico e toma um naldecon. Não tem coriza ainda, e a tosse começa quando avistamos uma carapaça bonita, que descobrimos ser do aeroporto.

25
Montevidéu

Por onde chegamos a cidade é feia. Papéis voam por toda parte. O Elias julga que são panfletos da eleição. Há cartazes e pichações de candidatos. Postes de luz são pintados e repintados, numa disputa de cores do Peñarol e do Nacional. Carros velhos se apertam por ruas estreitas, e o trânsito se mostra confuso. O Elias tosse de vez em quando. A tarde vai se esgotando, não temos hotel nem sabemos aonde ir. O Fernando prefere seguir reto e acerta quando a paisagem vai melhorando até avistarmos o calçadão onde as pessoas aproveitam o resto do domingo junto ao rio — o Rio da Prata, o Elias fala, e pede para pararmos. O Fernando estaciona. Descemos e, em silêncio, sentimos pela primeira vez que estamos os dois cansados. Precisamos achar onde passar a primeira noite noutro país. Queríamos evitar Montevidéu, mas já não temos receio. O outro dia será Colônia, a carreira do Carlos em Buenos Aires.

— Não quero dormir no táxi.
— Então vamos procurar um hotel.
— Não aguento mais dirigir.
— Vem, vamos caminhar pra olhar um pouco o rio e ver se achamos um hotel aqui perto.

Seguimos pelo calçadão. Há duas pranchas a vela muito velozes e por elas medimos o vento que nos atinge de lado. A água marrom que bate nas pedras faz espuma e às vezes salta bem alto e vem molhar o passeio. Apesar de tudo isso, há ainda pessoas caminhando e correndo nos dois sentidos. O Elias tosse. O Fernando se preocupa e pergunta se ele não quer voltar.

— Não achamos onde ficar ainda.

Só então percebemos que não estávamos procurando. Repartíamos o frio bonito de Montevidéu, as impressões sobre o vento e a água do Prata, como turistas. Seguimos até um mirante onde canhões antigos deviam ter protegido a cidade em alguma história. Dois homens pescam. Nos edifícios, luzes dão início à noite. Avistamos hotéis e atravessamos a avenida. Não nos atendem bem. Só entendemos que não há vagas. Está quase escuro quando decidimos voltar ao táxi, porque estamos distantes. Então um homem que pescava próximo aos canhões se aproxima e fica nos olhando.

— Está livre o táxi?

Percebemos que não é brasileiro, porque fala num português pronunciado demais.

— Vieram de táxi? Conheço Porto Alegre. Trabalhei com o Rubén Paz quando ele foi jogar no Internacional. Fui casado lá. Quem é o taxista?
— Eu.
— Já tive táxi aqui.

O homem é daqueles que fizeram de tudo. Ele está de botas de borracha e veste uma calça de brim e um blusão de moletom com uma propaganda de lâmpadas elétricas.

— Turismo?
— Mais ou menos. A gente tá procurando hotel, mas os daqui estão ocupados.
— Aqui tudo é uma fortuna. Só estão lotados por causa da eleição. Serve hostel?
— Serve.
— Vocês me levam em casa e eu mostro um. Que tal?

Aceitamos. O homem quer abrir o porta-malas, mas o Fernando oferece o banco de trás. Ele carrega um balde sem peixe, uma caixa com alça e aquelas varas que se separam em duas. É prático, e logo desengata o chicote de três anzóis com uma chumbada enorme e já entra no táxi.

— Emilio Raths.

— Como é que é?
— Raths, com th.

Falamos nossos nomes, e ele vai nos guiando. É um homem grande, meio alemão, manchado nas mãos. Tem cheiro de peixe, embora não tenha pescado nenhum. Diz que a casa dele e o hostel são perto. Nos olhamos desconfiados, de vez em quando não entendendo alguma coisa que diz. Pergunta se pode fumar e oferece. Pode. Não queremos. Ele fuma. Convicto de que somos turistas, não pergunta nada sobre nós. Conta que morou no bairro do Cristal, em Porto Alegre. Fala do time do Internacional dos anos 80, do sucesso do Rubén Paz. Lembra clubes noturnos e churrascarias que provavelmente não existem mais, com mulheres exuberantes que devem estar avós. Cita nomes e descreve cada uma delas como se as pudéssemos reconhecer. Ele mostra a cidade, já percebendo que é a primeira vez que estamos ali.

Mais preocupado em dirigir, o Fernando concorda com tudo o que o Emilio fala, mesmo quando não entende. O Elias fixa o rosto no vidro lateral do carro e contempla a noite imensa, primeiras estrelas e a lua como uma unha recém-cortada. O Emilio diz para entrarmos à direita, esquerda, algo confuso de toda cidade grande. Por fim, entramos na Calle de la India Muerta, e pede para pararmos diante de um sobrado antigo, onde mora. Tudo tem cara de abandono devido ao mato grosso que cobre a elevada de terra sobre a qual fica a construção. Há uma escada de pedra que sobe até a porta, sem luz de visita. Não há ninguém na rua. Enquanto o Fernando o ajuda com as coisas de pesca, o Emilio insiste para entrarmos, mas o Fernando diz que estamos precisando de banho. Ele oferece o chuveiro, diz que tem cama sobrando, mas o Elias, de dentro do carro, eleva a voz rouca para dizer que prefere não incomodar. Desconfiamos de que não existe hostel ali perto. Então o Emilio nos convida para jantar, que fará um tuco, e não entendemos, e ele diz que é uma massa, e repete o convite até esgotar o português e recorrer ao espanhol. Podem ir caminhando, é o que ele diz na língua dele. De dentro do carro, o Elias aceita por nós.

— E o hostel?

O Fernando pergunta, pegando o Emílio pelo ombro. Só então ele indica o local, a duas quadras dali, à esquerda.

— É uma casa. A única casa com luz.

Na placa iluminada por lâmpadas frias está escrito Cadáver Exquisito. Não há campainha, e batemos na porta. Um rapaz com uma jaqueta do Manchester United nos atende. Há vagas, temos que pagar adiantado e não aceitam cartões. Oferece uma cozinha e lareira de uso coletivo. O café da manhã é por conta da casa. Pagamos com pesos, e ele nos conduz a um pátio. Vemos que o hostel na verdade são três casas que formam uma ferradura. No meio, uma parreira imensa e uma horta machucada. Ele abre a porta de um quarto com dois beliches. Num deles, estão dois rapazes que falam uma língua incompreensível e que se calam, conforme vamos nos instalando. São sérvios, mas falam alguma coisa de inglês, o atendente diz da porta, entre outras coisas que não entendemos no castelhano dele nem no inglês com que fala aos sérvios. Há um armário com chaves, o atendente aponta, e colocamos algumas coisas em dois deles. O Elias pega uma toalha ainda úmida e um sabonete e vai testar o banho. O Fernando vai logo depois.

Os banheiros são praticamente abertos, com portas que vão das canelas ao pescoço. O chuveiro é apenas morno. O Elias tosse forte. Conversamos pouco, sobre o cuidado que devemos ter com os sérvios. Concordamos que o ideal é escondermos as chaves do armário sem que eles vejam. O Elias diz para colocarmos dentro da capa do travesseiro quando formos dormir. O Fernando não gosta da ideia do táxi pousar na rua. Ainda não sabemos onde deixar o Carlito.

26
a casa do Emilio

De perto, tudo parece mais abandonado: uma casa grande, com pátio e sinais de gente que teve dinheiro, mas então aquele capim alto, já com sementes, que cresce até pelos degraus da escada. É uma escadaria bastante comprida, de três patamares. Há embalagens de cigarros, chicletes, papéis e plástico por todos os lados. Na varanda, cai um fio onde seria a luz de visita. O Fernando aperta a campainha inúmeras vezes. O Elias resolve bater.

Escutamos barulho vindo lá de dentro, e o Emilio abre a porta e nos manda entrar. Passamos por uma sala escura, com cheiro de coisa fechada. Há fotos pela casa, quase todas muito antigas, objetos de família. Com o mesmo moletom da pescaria, ele nos passa para a cozinha, onde oferece mate numa cuia minúscula com o escudo do Peñarol. Só o Fernando aceita e o Elias explica que está com tosse. O Emilio pergunta se somos parentes.

— Não acredito que são irmãos. São muito diferentes.

— Somos irmãos de criação.

— Tu, por exemplo, tem a pele mais escura.

Ele fala do Fernando, mas espera uma explicação do Elias.

— Ele é do norte.

— Para mim, o Brasil todo é norte. Mas todo brasileiro fala mal de alguma parte do Brasil, como se não fosse o mesmo país. O Uruguai, por exemplo, é pequeno demais pra isso. Não brigamos entre a gente. Falamos mal de argentinos, de brasileiros.

Ele ri bastante. Nos mostramos simpáticos rindo junto. Depois, de súbito, interrompido por latidos, grita com um cachorro nos fundos. Ele se levanta e nos leva para ver. É um pastor alemão velho, pelo queimado nas pontas, e cego.

— Se chama Agustín.

Tentamos contato com o cachorro, mas ele parece feroz.

— Coloquei o nome de Agustín, o mesmo nome do meu irmão, que está na Austrália. Assim, toda vez que chamo o cachorro, me lembro do meu irmão.

Não sabemos se devemos rir. O Fernando até sorri. O Agustín rosna para nós, e então o Emilio volta a gritar com ele, num castelhano agressivo.

Voltamos à cozinha, entre coisas que não entendemos e uns olhares para um programa de tevê onde comentam um atentado no Iraque: um caminhão-bomba matou mais de trezentas pessoas durante o ramadã.

— É muito mais gente morta do que em Paris, naquele atentado à revista. Mas não vai dar a mesma repercussão. Parece que os europeus estão devolvendo as mortes.

— Não te parece um ataque de gente vizinha?

— Não. É mais fácil pensar que o problema é de geografia. Mas não. É de memória. A gente culpa o outro porque é a melhor maneira de esconder o que a gente fez, não é? Nessas histórias de guerras, ninguém sabe quem começou nem quem vai ganhar no fim. E o fato pouco importa.

— A causa de tudo pra ti é a história?

— Claro. Nunca fui pra Alemanha, mas todo mundo sabe o que eles fizeram.

Ficamos esperando ele continuar, mas o Emilio passa a explicar algo da massa, que estica sobre a toalha plástica da mesa e, com um garfo de dois dentes, vai fazendo, em tiras grossas e tortas, o macarrão. Põe a cozinhar, enquanto mexe o molho numa panela grande, catando ossos de galinha sempre que os encontra. O cheiro é bom, e nos olhamos, mortos de fome, enquanto o Fernando reparte com o Emilio o mate. Tudo é rápido: o Emilio escorre a massa e a despeja numa travessa.

Depois, larga o tuco por cima, e entendemos que o tuco é aquele molho que cheira tão bem. Bebemos um vinho surpreendente, apesar de ser envasilhado em caixa como as de leite. Por fim, com uma faca contra a palma da mão, ele pica queijo sobre a comida. É comida para umas dez pessoas. E é o que comemos de melhor desde que saímos de casa. O Fernando repete três vezes, enquanto o Elias tem problemas com o nariz e precisa ir seguidamente ao banheiro. Conversamos outra vez sobre futebol, mulheres, algo sobre queijo. Contamos que estamos indo ao hipódromo de Palermo, e o Emilio conta sobre uma noite, quando perdeu todo dinheiro no hipódromo ali de Maroñas. Teve que voltar pra casa caminhando. Fala bastante de cavalos, dos que teve em Tacuarembó. Perguntamos sobre a travessia de barco até Buenos Aires.

— Vamos até Colônia.
— Colonia del Sacramento? Mas dá pra ir de buque desde Montevideo até Buenos Aires.
— De Colônia é mais barato.
— Não conhecemos Colônia.
— Acho que vocês estão levando alguma coisa proibida.

O Elias emenda, evitando que falemos do Carlito.

— Se estivermos, tem problema pegar o buque aqui em Montevidéu?
— A polícia é mais rígida aqui, por causa da

ligação entre capitais, entendem? É melhor passarem por Colônia mesmo. Pelo visto, vocês já programaram tudo passando por lá.

— Sim.

— Então não mudem o roteiro.

O Emilio vai abrir outra caixa de vinho e nos serve. Ri muito e nos leva pela casa, acendendo poucas luzes. Fala da família usando os nomes próprios das pessoas sem explicar quem são. O português parece com sono, e ele nos enrola num castelhano difícil. O Elias pergunta pelas fotos que viu quando foi ao banheiro, do outro lado da casa. O Emilio fica sério. Nos leva até lá e mostra sua gente: entendemos que fala dos avós ciganos, o pai e a mãe suíços. Nenhum vivo. Fala algo que não entendemos e então se concentra para voltar ao português e falar da Segunda Guerra, dos parentes que se perderam.

— Os alemães roubaram tudo, tudo.

— Tua família esteve num campo de concentração, Emilio?

O Emilio mostra um corte enorme entre os cabelos grisalhos, fruto da coronhada de um guarda nazista que tinha a pele suja. Os olhos do Emilio ficam vermelhos, e ele vai voltando ao castelhano, contando uma história confusa, da qual só entendemos que odeia os alemães, todos. Mostra para o Elias uma tatuagem com números, à altura do peito, e diz que está vivo por milagre.

— Como veio pro Uruguai?
— Meu irmão me comprou.

Tinha onze ou doze anos quando o irmão trocou os bichos, quase todos, por ele. Eram galinhas, cabras, porcos e cavalos. Ficaram só com uma vaca que os alimentou enquanto fugiam da Áustria para o sul da França. De lá, deram a vaca para vir no porão de um navio até o Uruguai. O Emilio acabou crescendo numa escola agrícola em Canelones. Ele procura e não encontra uma foto que quer mostrar. De repente fala num português arrumadinho demais:

— Os alemães eram muito organizados. Mas era uma organização não só para matar. Era para eliminar, borrar os outros. Aconteceu com a gente, por sermos iêniches.

— Iêniche?

— É um povo que ainda vive na Suíça, confundido com os ciganos. É um povo que já não luta, que nunca vai se vingar. Você apanha na cara e nunca se vinga, sabe?

— Por que a Alemanha é ainda muito forte?

— Não é a Alemanha. Hoje é a Suíça. Amanhã pode ser outro país, qualquer um que se impõe. Os alemães fizeram tudo aquilo porque tiveram imposição. É a imposição que faz o outro ser estrangeiro, não é? É quem grita primeiro. Quem grita primeiro pega as coisas na mão e amassa como quiser.

O Elias tem um acesso de tosse enquanto fala que agora Israel se impõe aos outros.

— Eu não tenho nada a ver com Israel. Se eles não se vingam é porque nunca tiveram projeto. Se um não tem projeto, não pode dar o troco. Não temos projeto aqui, nem do outro lado do rio, nem no país de vocês. Sem projetar ninguém impõe nada. Quantas vezes nós, da América Latina, fizemos algum projeto? Acho que só o Paraguai teve um projeto sério. Mas destruímos eles.

O Emilio fica em silêncio. Voltamos com ele à cozinha. Ele recolhe a louça, não deixa o Fernando lavar e descarta restos dos pratos para o cachorro. Guarda a comida restante na geladeira. Então, sem falar, pede que o sigamos.

Passamos novamente pelas peças em penumbra da casa até uma sala mais escura. Com o celular, ele ilumina uma parede e encontra um interruptor de luz daqueles que ficam dependurados pelo fio e cujo botão se aperta com o polegar. Uma luz branca demais é acesa sobre uma mesa enorme de madeira. O Elias se aproxima com o Emilio. O Fernando fica próximo da porta, até que o Elias o chama.

Vemos uma miniatura de murada com duas torres largas e um portão. Há depósitos dos dois lados, uma torre mais alta ao fundo. Mas logo notamos os pequenos personagens em fila, numa escala maior que o cenário. Vestem a roupa listrada em azul e branco e todas as cabeças são amarelas. Só então entendemos que a torre mais alta é uma chaminé e que o portão reproduz aquelas cenas que costumamos ver em filme. O Elias tosse.

— É Mauthausen-Gusen, um campo de concentração onde se morria carregando pedra numa escadaria sem fim. Fiz a maquete de memória — e ele aponta o dedo indicador para mostrar a escada, afastada do modelo. — De memória.

Ficamos ali, vendo os detalhes, tão bem feitos que, sem os comentários acesos do Emilio, precisaríamos de lentes para ver. O Emilio aponta o funcionamento de tudo, a exaustão e o frio matando as pessoas numa pedreira, e afirma que, com a tecnologia de hoje, se poderia fazer melhor.

— Aquele que se vinga tem que fazer melhor.

Ficamos em silêncio. Ele desliga a luz antes de deixarmos o quarto, e saímos tateando as paredes, o Elias tossindo muito. Ele vai ao banheiro e depois vai o Fernando. Na cozinha, a conversa não tem para onde ir, e falamos da necessidade de acordarmos cedo no dia seguinte. O Emilio nos escreve o endereço de e-mail e o número de telefone num papel. Os olhos dele estão vermelhos. Ele pede para mantermos contato. Prometemos que sim, enquanto descemos as escadas para escapar daquela casa.

27
Cadáver Exquisito

Caminhamos para o hostel, assustados com tudo o que vivemos na casa do homem. A maquete ficou na nossa cabeça, e o sentimento de vingança parece pesar na digestão.

— Não entendi direito. O Emilio esteve num campo de concentração afinal?
— Ele disse que sim, Fernando.
— Mas não tem idade pra isso.
— Quantos anos dá pra ele?
— No máximo uns cinquenta e cinco.
— Pois é. A idade não fecha.
— E a tatuagem?
— Não duvido que ele mesmo tenha mandado fazer.

O Fernando fica pensando nas figuras loiras em fila. Tem vontade de pedir ao irmão que fale sobre aquilo, mas são muitas as lacunas de história, e ele não sabe nem o que perguntar. O Elias tosse. Recorda os olhos imensos do Emilio, a voz forte a explicar o projeto.

— Viu a raiva dele, Fedor? Pode ser que o pai e a mãe dele tenham morrido num lugar daqueles.
— Ou o irmão. Tava pensando agora: acho que ele entregou o irmão e fugiu com a vaca.

O Elias visualiza a cena: uma criança atravessando a Europa puxando uma vaca, bebendo leite e se aquecendo nela para poder dormir. Quando encontra água, não bebe: dá de beber à vaca para que ela produza mais leite.

— Tá com frio?

O Elias tosse. O Fernando entende o quanto ele está incomodado.

— Vamos dar uma volta, Elias?

Com a sensação ruim, nos olhamos quase de frente. E resolvemos passar pelo táxi e pelo hostel e seguir mais. Caminhamos algumas quadras sem encontrar ninguém na rua. Montevidéu está quieta. O vento rasteiro sacode os papéis da eleição. Ficamos olhando um anúncio eletrônico do jornal El País até surgirem as informações do tempo: exatamente zero grau em Montevidéu.

— É quando as coisas congelam, não é?

O Elias pergunta aquilo.

— Ô, Elias, não te parece que somos só nós dois em Montevidéu?

O Fernando para em frente a uma banca de revista. Fica olhando o acrílico onde picharam coisas ilegíveis.

— Que que houve, Fernando?
— Como o que que houve?
— Com a gente.
— É essa a pergunta?
— Não sei.
— Quer conversar a esta hora?
— A gente tem que conversar.
— Então o que houve é que a gente é bicho, bicho. Tu sabe bem.
— O que que eu sei?
— Depois do enterro em Guaíba.

O Fernando não desvia o rosto da banca de revista. Está olhando os próprios olhos refletidos no acrílico. Depois se vira e parece não esconder o tamanho.

— O que eu sei é que tu deu na minha cara.
— Eu dei na tua cara mesmo.

Nenhum de nós pegou nas alças do caixão pequeno, que poderia ser de um adolescente. Sabíamos que um não deixaria o outro carregar o Carlito sem antes dizer alguma coisa cara a cara. Achávamos que sabíamos o que era. Não sabíamos. O Fernando fugiu depois do enterro. Desceu o morro do cemitério sem se despedir de ninguém. E o Elias foi atrás dele. O Fernando aumentou o passo. O Elias gritou: Agora não adianta mais correr, demorou demais pra pegar aquela merda de carro. O carro não é meu. Foda-se, dava pra achar o Carlito, e o Elias já segurava o Fernando pela manga do casaco. O Fernando o empurrou forte: Tu é que não podia ter deixado ele pegar a moto com um temporal daqueles. Agora perdi o meu irmão, o Elias disse. Eu também perdi. Não perdeu nada, Fernando: tu é irmão só de criação. E o Elias continuou com aquilo: que o Fernando tinha demorado por medo do patrão. Por que não tinha perdido a merda do emprego?, o Elias perguntou umas cinco vezes. E por que não foi tu procurar o Carlito? Tu, que era o irmão de sangue, que pegasse um carro e fosse dirigindo. Tínhamos parado. Nos olhávamos de frente. Até que o Elias pegou o Fernando pela gola e começou a guspir nele. O Fernando derrubou o Elias no chão e começou a bater na cara dele. Batia com as mãos abertas, depois fechadas. Batia só na boca e no nariz para não dar tempo do Elias falar aquilo: Por que tu não perdeu a merda do emprego? Mas então o Fernando se sentiu mesmo o irmão do acaso, o fugido do norte, e teve medo de quebrar os dentes do Elias e estava distante demais do quarto azul e do roupeiro. E foi diminuindo a mão e cedendo braço ao Elias, que não tinha mais o que falar — só queria era bater. E o Fernando deixou que o

Elias respirasse e subisse em cima dele e que lhe batesse no rosto até cansar. Depois, ficamos deitados na calçada, ouvindo um o respirar do outro. O Elias se engasgava com o sangue na garganta. O Fernando sentiu a língua cortada, um naco de carne quase solto na boca e a impressão de que, se o Elias tivesse forças, bateria nele até que não restasse nenhum dente. Já não conseguíamos olhar para o lado. Olhávamos para cima. Pode ser que tenhamos visto o mesmo céu. Era uma vergonha: um azul sozinho, sem nenhuma nuvem.

O Elias também está olhando para o acrílico da banca de revistas. Mas sabemos agora que estamos vendo o olho que nos olha de lado, através daquele plástico, em outro país. Talvez o país dos cavalos. O Fernando resolve encarar o Elias, que está chorando como nunca.

— Que houve?

Caminhamos de volta ao hostel. O Elias não se sente bem.

— Que houve?

O Elias tem um acesso de tosse intenso.

— Vem!, vamos entrar no carro.

Não entramos. Ficamos divididos pelo táxi. O Fernando fica com a chave na porta, e o Elias, no lado do carona, com as mãos nos bolsos, espera uma trégua da tosse.

— Nunca te contei do que o Carlito morreu, Fernando.

Tosse.

— Ele morreu do acidente.
— Demoramos demais a achar o Carlito.
— A gente já sabe disso, Elias.

O Elias respira. Põe as mãos no teto do carro. Então olha para o Fernando com a cara toda apertada. E fala em intervalos, quando a tosse permite.

— O Carlito morreu de frio, Fernando. Não foi de nenhuma batida, de nenhum ferimento. Foi de frio. Só acharam ele de madrugada, todo molhado, quase sem se mexer. Não tinha nenhum machucado sério. Foi frio. Que morte mais filha da puta! Eu te culpei. Mas nós dois deixamos ele morrer de frio. Tem ideia de como é que uma pessoa morre de frio?

O Fernando vai até a parede do hostel e se escora. O Elias aperta o peito no táxi até que a tosse acalme um pouco. O Fernando vem abrir o porta-malas, pegar a caixa do Carlito e entregá-la ao Elias.

Acordamos o atendente e vamos para o pátio interno do hostel. Ficamos sentados, sob as uvas ainda verdes. Estamos pesados. O Fernando fuma um cigarro até a metade. O Elias se levanta primeiro.

Entramos no quarto usando apenas a luz da

rua. Como o Elias tosse, um dos sérvios acorda e nos olha com hostilidade. O encaramos com firmeza, a dizer que não somos nós os seres equívocos. Então, resolvemos mesmo acender a luz. Guardamos nossas coisas no armário sem cuidar com os barulhos. A caixa do Carlito não cabe. Decidimos colocá-la ao pé do nosso beliche. Repartimos os cobertores fedorentos e o Fernando esconde a chave do armário sob o travesseiro. O Elias engole um naldecon sem água e pega a cama de cima. Desligamos a luz. Não vamos escovar os dentes.

— Parece que não tem nada dentro da caixa, não parece?

O Fernando, sem sair da cama, abre a tampa e toca e sente os ossos na mão.

— Tá tudo certo com a caixa.

— O Carlito é que tá com menos carne então. A caixa não pesa quase nada.

Um sérvio resmunga na língua feia dele. Fala umas coisas raspadas que entendemos como xingamento. O Fernando se vira para ele.

— Vai tomar no teu cu.

O outro sérvio também resmunga. O Elias espera que a tosse dê uma trégua.

— Tu também vai tomar no teu cu.

Agora eles se calam. Não sabemos quem de nós dois vai dormir primeiro. Então continuamos falando, esparsamente, o Elias tosse, um sérvio se vira, uma ambulância ressoa. Pouco a pouco, a noite vence tudo.

28
manhã de segunda

O cavalo castanho relincha. Parece pedir ajuda. Mas o Elias não o entende. Percebe que o cavalo quer entrar numa cocheira, mas a entrada é estreita demais. O animal se desespera. O Elias fala com ele, explica — mas o cavalo mantém o olhar estúpido. Só então o Elias nota a barriga redonda e entende o desespero. É uma égua, e ele tenta guiá-la até a entrada, mas não dá mais tempo: da barriga da égua jorra água, e ela, de pé, dá cria a um filhote com tão pouca cor, que o Elias pode ver as artérias que lhe percorrem o corpo. O Elias toca o filhote, mas o cavalinho já está gelado. A égua relincha desesperada, recolhe os lábios e mostra os dentes, parece tossir, os olhos imensos pedindo ajuda. O Elias quer se desculpar, mas não consegue falar com ela — e isso, não a dor da égua mãe, é o que mais o assusta.

Acorda com o Fernando pedindo ajuda.

O Fernando acordou antes. Um sol entrava pelas frestas e o Fernando viu que era tarde, que os sérvios já tinham ido embora e então levou um susto: levaram a caixa do Carlito.

Procurou pelo quarto e não encontrou. Também viu que tinha sumido a nossa chave debaixo do travesseiro. Arrancou cobertores e lençóis, olhou embaixo da cama. Se os sérvios abriram o armário, levaram o carro e o Carlito também. Antes de acordar o Elias, foi atrás do atendente.

Estava tudo fechado. Pelo vidro viu as luzes da recepção apagadas. Bateu inúmeras vezes e escutou apenas os barulhos da cidade lá fora.

No pátio, viu um banco alto próximo ao muro dos fundos e entendeu que tinha sido por ali que os sérvios tinham fugido. Pulou e acabou no pátio de uma escola. Com frio e mal vestido, cruzou por um corredor de salas de aula onde viu os professores e os poucos alunos, todos de uniforme. Olharam para ele. Um homem que varria uma área coberta também olhou, mas não pareceu se importar.

Na rua, o Fernando viu que o táxi continuava estacionado em frente ao hostel. Bateu forte à porta do hostel, mas ninguém veio abrir. Voltou à escola, cruzou pelos corredores e foi surpreendido por um professor que veio lhe dizer alguma coisa que o Fernando não entendeu. Quando os alunos vieram ao corredor e o professor gritou para que retornassem às classes, o Fernando usou uma escada do pátio, posicionou sobre uma horta e pulou de volta ao hostel. Então decidiu acordar o Elias, pedindo ajuda.

O Elias salta da cama.

— Roubaram as nossas coisas.

— Roubaram o táxi?

— Não, o táxi continua estacionado lá fora. Mas levaram o Carlito.

— Calma.

O Elias pega uma chave do bolso. Já tosse bem menos.

— Demorei pra dormir. Fiquei com medo dos sérvios. Eles ficaram conversando baixinho de noite, daí levantei e guardei o Carlito num armário lá fora. Nossas coisas estão lá também.

— Puta que pariu!

Vamos lá fora e abrimos o armário externo: tudo está no lugar, a chave do carro, o Carlito dentro da caixa, nossas coisas, os dois casacos.

Batemos na recepção e ninguém atende. Estamos presos no hostel, atrasados e sem café da manhã. O Fernando decide ir embora e mostra o muro por onde pulamos com a caixa do Carlito, de mão em mão, levando também as poucas coisas que trouxemos para o quarto. Passamos pelo corredor de alunos, e o mesmo professor vem perguntar alguma coisa que o Elias responde em português, dizendo que ficamos presos no hostel. O professor traduz para os alunos, e eles riem forte e vêm ao corredor e ficam nos olhando, enquanto cruzamos pelo homem que varre.

Chegamos ao táxi rindo de nós mesmos. O hostel não responde, apesar do Elias quase quebrar a porta. Então decidimos pegar alguma coisa para comer pelo caminho. Deixamos o Carlito no carro e andamos duas quadras até acharmos uma padaria onde compramos café e umas medialunas.

A partir daí, saímos para uma segunda-feira de muito sol. Montevidéu e seus caminhões próximos ao porto, a indicação num posto de gasolina de que, para Sacramento, basta seguir sempre pela Ruta 1.

Mas não nos disseram que a rodovia estava toda em obras. São necessários vários desvios. Vamos conversando sobre o que teria acontecido ao atendente. Aos poucos, a confusão no hostel nos parece engraçada, e vamos reproduzindo a cena de dois brasileiros cruzando a escola com uma caixa de picolé.

— Tu viu? Passamos por dentro da escola com o Carlito.

As lembranças de nosso tempo de escola ficam restritas ao caminho que percorríamos juntos, o Carlito nos levando até a escola para que não nos dispersássemos pela cidade, passando pela rodoviária, bancas de revista, floricultura, lojas de roupas e de brinquedos, até chegarmos ao portão onde nos separávamos: irmão mais velho, irmão do norte, irmão caçula, níveis diferentes e poucos amigos em comum.

Aos poucos, a capital vai minguando, o Uruguai volta a ser pequeno na paisagem de campos e vacas, pueblos e pessoas de bicicleta. O silêncio da manhã ocupa o táxi e parecemos distantes, apesar da sensação de estarmos pensando a mesma coisa. O Fernando começa uma sessão de músicas em espanhol. Pouco entendemos das letras, e elas pouco interferem. Mas uma delas fala de lejos, lejos, e o Elias explica que é distante. Não sabemos se estamos no mesmo lugar, e o Fernando recorre às lembranças comuns.

— Tu viu aquela última vitória do Carlito, aquela do fotochart?

— Só a Onesita viu.

— Mas tu tava no hipódromo.

— Tava, mas ninguém achou que o Carlito tinha ganhado. Aí veio o fotochart, e pareceu mentira. Pra mim toda fotografia é uma mentira. O fotochart, por exemplo, apaga todo o resto na volta.

— Então como é que o Carlito levanta a mão, se não sabe se ganhou?

— Ele sente que a Onesita ganhou.

— Mas quem é que ganha, na tua opinião, o cavalo ou o jóquei?

— Ih, já discuti isso um monte de vezes. No fotochart o que conta é o cavalo. Mas já aconteceu de um jóquei cair e o cavalo, sozinho, ganhar a carreira. Daí não vale. Por isso os dois são um conjunto.

— E daquela vez do fotochart, tu lembra?

— De manhã cedo tu nos levou de carro pro Cristal. Lembra que o Carlito andava irritado? Fazia um tempo que não ganhava, daí disseram que ele precisava perder peso, uns dois quilos. Ele andava comendo demais mesmo. O maior problema do jóquei é a fome. Jóquei bom é o que aguenta a fome. Então ele treinou duro de manhã. Fazia calor, e ele colou aquele plástico com bolinhas de ar pelo corpo, aquele plástico-bolha, sabe?, que se usa pra cobrir coisas frágeis, e vestiu por cima uma roupa grossa e preta, como se tivesse com frio. Ao meio-dia, ele tirou a roupa e torceu. Pingava suor. Tinha ficado nele um cheiro forte de cavalo. Ele se pesou e ainda faltavam quatrocentos gramas. A gente almoçou no prado mesmo, e ele só comeu um pêssego. De tarde usou aquele plástico de novo. Aí pelas quatro horas tomou banho. Tava com muita sede, mas só chupou uns gelos e depois precisou tirar um sono no alojamento. De noite, antes da corrida, ele se pesou e ainda não tinha alcançado o que precisava. Mas correu dois páreos mesmo assim. O primeiro não lembro em que posição ficou. Sei que só ganhou o dinheiro da participação. O segundo é o páreo do fotochart.

O Fernando fica esperando o Elias contar, e o Elias está esperando o Carlos e a Onesita. Recorda nitidamente os dois conjuntos que o fotochart registrou em preto e branco. Recorda o número 8, recorda o número 3. O cavalo escuro e a Onesita tordilha. O resto, o que o fotochart sonega, fica à mercê da lembrança: partem sete cavalos, dois bem destacados na frente, até a curva, e forçam uns cinco corpos de vantagem até perderem ritmo. Um pouco atrás vem o outro grupo, e os primeiros ficam pra trás. Mas na reta final só a Onesita e o cavalo 3 disparam. A Onesita por dentro e o 3 pelo centro. A luz do Cristal não é boa e eles ficam cabeça a cabeça e o que se vê é a mão premeditada do Carlito no momento em que mais precisa segurar o cavalo. Todos acham que ganhou o 3, inclusive o Elias, que vai à cerca falar com o Carlito. O Carlito diz que ganhou e cumprimenta a Onesita. A noite é quente, e ela masca a baba branca. Dá pra ver o suor gosmento embaixo da sela. Não é noite para os dois ganharem. O narrador antecipa que o cavalo 3 ganhou. Mas o Carlito espera o fotochart. Só ele acredita na segunda chance. Então, no dia seguinte, sai no jornal aquela foto em que as patas dos cavalos parecem tango, o jóquei em primeiro plano não aparece na cor escura do cavalo que monta, e o Carlito branco que nem fantasma aponta para o céu, e a Onesita, um pouco menos nítida, estica a cabeça à frente. Ela já sabe e por isso oferece o olho para a fotografia.

29
Colônia do
Sacramento

Uma longa fila de palmeiras, dos dois lados da estrada, faz que o Fernando diminua a velocidade e abra os vidros. Estamos chegando, é daqui a pouco, é depois do rio.

Temos fome, embora ainda faltem uns minutos para o meio-dia. Não sabemos bem o que fazer primeiro, e é o Fernando quem decide estacionar. Saímos para caminhar pelas ruas de pedra e percebemos fácil que tudo é perto. Acabamos numa praça onde estão muitos turistas. O Fernando decide almoçar antes de pegar o barco. Resolvemos sentar num restaurante quase atrás do farol. Escolhemos uma mesa no pátio, sob pés de laranjas maduras.

— Era melhor ver os horários dos barcos antes.
— Fica calmo. A gente chegou cedo.

Almoçamos um peixe que demora uma hora para ser servido com batatas e legumes. O sol cobre a mesa, entrecortado pelas laranjeiras, e faz um efeito bonito. E ali ficamos a comer, bebendo pomelo e ouvindo uma mulher que canta e toca uquelelê lá da praça. Não conversamos. Dá pra ver o farol, e as pessoas fazem fila pra subir nele. Mas então, aos poucos, uma sombra grossa vem tomar o pátio, e um frio vai nos vencendo, ajudado pelo vento do rio. Trocamos de mesa, mas a sombra nos acha. Até que todo o pátio das laranjas fica ensombrecido. O frio é agora maciço. Chamamos o garçom, mas os únicos lugares disponíveis são os do pátio. Ele explica que, por meia hora, mais ou menos, o sol fica coberto pelo farol. Olhamos pra trás e ficamos compreendendo aquilo: a posição do sol, a posição do farol, a mesa que escolhemos — as coisas e seus lugares. Um pouco mais pra lá é um sol inteiro. Por enquanto, aqui, o chão — parece que o frio irradia do chão — nos domina. Sob a potência da terra, nossa alegria vai atrofiando. Nos olhamos e, frente a frente, a distância nunca apaziguada bate os dentes. Estamos sozinhos. Retorna a tosse do Elias. O Fernando entende o medo antigo e tenta conversar sobre as laranjas, o cheiro de carne assada, as construções ao redor, o rio que se deixa ver num filete vertical de paisagem. Mas não conseguimos acreditar na conversa. Os barulhos do dia externo onde o sol continua aumentam nossa desolação e entendemos que, seja qual for o desfecho da noite, a memória vai continuar trabalhando. Cabeças inclinadas pra frente, olhamos as outras coisas de lado — as plantas que resistem pelo muro, guardanapos de papel que o vento arrasta, o olho do peixe no prato. O Elias mexe com os dedos nos restos do que comeu, enquanto o Fernando pisoteia a terra para reiterar que estamos vivos. Até que um fio de luz vem fatiar o pátio. E então o sol vai engordando, escolhe as mesas de um extremo, e nos mudamos até lá. Em minutos, ocupa o pátio. Os vidros de condimentos cintilam, assim como o plástico das toalhas. Os pratos se aquecem, reanimando as sobras de comida. Reacendem-se as laranjas. Clientes que chegam escolhem o pátio e vêm se sentar. Somos capazes de sorrir.

O Fernando vai ao caixa pagar a conta. Ao voltar, vendo o Elias já de pé, entende a inquietação do irmão.

A estação de vendas lembra uma rodoviária. Demoramos a perceber como as coisas funcionam: há empresas diversas, diversos horários e preços. Tudo muito caro. Havia barcos baratos perto do meio-dia. Os da tarde custam de três a quatro vezes. Os preços estão em dólar e calculamos que o barco mais viável é o das dezessete horas. O serviço oferece um voucher para táxi na chegada. O Elias está irritado e deixa o Fernando realizando o pagamento.

O Fernando encontra o Elias sentado num banco de espera.

— A mulher disse que tem um estacionamento em frente ao porto. Dá pra deixar o carro lá. Ela falou que caixas e malas passam pela esteira do raio-X. A gente passa com bolsa de mão pelo detector de metais. É o que eu entendi.

O Elias fala sem olhar para o Fernando.

— A gente devia ter vindo aqui antes de almoçar. Vamos chegar de noite, e as carreiras já vão ter começado.

— Fica tranquilo. O Carlos não vai correr.

O Elias não gosta do comentário.

— Vou no banheiro. Preciso assoar o nariz.
— Vou fumar um cigarro ali fora.

O Fernando vê o irmão passar entre as pessoas e sai. Atravessa a rua e senta no que parece ser um banco de parada de ônibus. Fica ali, fumando e pensando em tudo o que nos separou. Não foi um soco na cara. Foi nossa incapacidade de coincidir qualquer coisa — um café, uma visita, um olhar de frente ou mesmo uma cobrança, nem que fosse por escrito. Somos as provas de que a vida humana é pura fragilidade, mais ainda sobre um cavalo, uma motocicleta. E talvez o isolamento tenha sido feito de conforto: o de culpar para não repartir coisas difíceis de medir. Lembra os restos daquele dia em que o Carlito tinha se despedido das corridas no Hipódromo. Depois, procura o Elias no cemitério de Guaíba. Os corredores pareciam estreitos demais para as pessoas da cidade. Apesar do frio, muitos mosquitos circulavam à procura dos vivos, e podíamos nos esconder no meio daquela inquietação. Mas o pai nos achou. Por que tínhamos escolhido para o Carlito uma gaveta tão baixa? Não tínhamos escolhido nada, mas o pai perguntou aquilo para nós, enquanto se ajoelhava para ajudar o caixão a entrar no buraco: que a gente termina sempre participando de alguma coisa, mesmo não estando, mesmo quando não opina, mesmo quando desconhece, ignora ou esquece — era isso que o pai dizia? Ele parecia o mais forte da família, mas, depois de enterrar o Carlos, o pai pioraria de saúde, como quem deixa de se segurar em alguma coisa. A mãe rezou uma oração, e amigas a ajudaram. E depois o cimento. Nenhum de nós nunca esqueceu o cimento. A coisa mais impressionante: empilhavam-se tijolos, separando o Carlos do mundo. Mas pelas frestas do barro parecia ainda possível ouvir aquela pergunta: Já tão dormindo? Mais cimento, e depois tudo ficaria escuro, menor que os segredos. A quem o Carlito perguntaria quando a massa cinza secasse? Estaríamos dormindo para ele, era isso.

O Fernando vê o Elias sair da estação e vai até ele. Entramos no táxi e circulamos próximo ao rio. Antes que o Elias volte a reclamar do horário do barco, o Fernando resolve falar.

— Sabe que eu nunca esqueço aquele nosso confessionário?

— O roupeiro?
— É.

A última vez que o roupeiro nos confessou foi logo depois de termos dado um na cara do outro. Estávamos machucados, sobretudo na boca. Nenhum de nós quis assustar a mãe, o pai, alguma pessoa prestativa que viesse ajudar. Um filho morria, e os outros dois brigavam no enterro, tinha cabimento aquilo?

O Fernando ficou pelo pátio, repetindo caminhos onde a areia era grossa e pouco capim nascia. Atravessou pela fenda do arame para o terreno abandonado e notou a ferrugem que tinha ficado nos dedos. Caminhou um pouco, colocando as mãos nas coisas para sentir o cheiro: telhas de barro empilhadas, as romãzeiras com poucas folhas e algum fruto que tinha aguentado o frio. E o Fernando abriu uma romã e tentou comer os grãos, mas a língua cortada tornou aquilo impossível. Ficou cheirando a romã aberta, esmagando os grãos até a semente e cheirando os dedos. Depois, pisou sobre o brejo úmido e baixo, onde a terra era preta e pouco sol pegava. Sentiu um cansaço doloroso, quase derrota, e quis cavoucar na terra. Ficou olhando uma minhoca enorme que se debatia. Depois voltou para o nosso pátio e levou um susto quando viu a janela do quarto aberta: sabia para onde ir, sempre soube, mas só então sentia que aquilo era urgente. Pulou a janela, fechou a veneziana e foi tateando as coisas. Quando entrou no roupeiro, sentiu os pés do irmão.

O Elias chegou antes de todo mundo em casa. Tínhamos um jeitinho para abrir a janela do quarto e ele entrou assim. Sentia o nariz ainda sangrando e por isso foi ao banheiro. Voltou ao quarto e ficou deitado um tempo na cama do Carlito. Assustou-se somente quando escutou a mãe e o pai entrando em casa. Escutou os sogros do Carlito, que queriam ajudar, mas ouviu o pai dizer que precisavam mais era ajudar a filha, e a porta se abriu, talvez tenham se abraçado e se despediram mais de uma vez. Depois, aquele silêncio feito do cheiro das madeiras do quarto, até escutar um carro que parou em frente à casa. Encostou o ouvido à parede. Reconheceu a voz do Dr. Solon e entendeu que a mãe precisava de remédios. O Dr. Solon falou com o pai e com a mãe e perguntou por nós. A mãe disse que a gente tinha preferido vir caminhando, e depois alguém encheu um copo d'água na geladeira, e o Dr. Solon falou coisas pouco nítidas e se despediu. A mãe foi para a cama, e o pai foi cuidar dela.

Por isso o Elias achou que era direito seu ir pra dentro do roupeiro. E lá ficou, encolhido num canto, até que o Fernando chegasse com cheiro de romã e se escorasse no outro lado. Não tivemos coragem de choro e tínhamos as bocas feridas demais para perguntar qualquer coisa. E não fazia mais sentido mesmo perguntarmos um ao outro se um de nós estava dormindo. Escutamos quando a mãe veio nos chamar para tomar um café, e o quarto aceso iluminou-se vazio diante dela.

À noite, deitados no beliche, acordamos com resmungos de alguém no quarto, o cheiro de pessoa que dorme não em cima nem embaixo. Era na cama ao lado. O nítido virar-se de um corpo, a respiração pesada e então a clareza de um nariz que puxa o ar. Estávamos acordados e ficamos mais silenciosos. O quarto ressonava. Sob a vontade de perguntar Tá acordado? e ouvir do irmão enterrado um sim, o Fernando se levantou para ir ao banheiro. Não tocou na cama do Carlito. Não acendeu a luz do quarto, mas do corredor. E vimos: a luz intrometida mostrava quatro pés na cama, os da mãe e os do pai, apertados no colchão do filho morto. O Fernando voltou do banheiro e apagou a luz que entrava e deitou no beliche para tentar dormir. Talvez tenhamos dormido pensando a mesma coisa: diminuído pelo escuro, o quarto todo cabia no truque do roupeiro, e, fechados ao mundo, dormiam os pais e os filhos que ainda resistiriam na casa.

No dia seguinte começaria a mentira: explicamos as bocas tortas por uma briga contra uns caras que quiseram falar mal do Carlito. A mãe chorou baixinho. Desgastado pelo que doía mais, o pai não perguntou nada.

Onde foi parar aquele roupeiro nunca soubemos. Não moraríamos na mesma casa, tínhamos decidido em segredo. O que a mãe contou sempre é que os cupins o devoraram e o roupeiro não aguentou ser levado quando desmancharam a casa e foram morar em outro lugar, na casa então de alvenaria. Imaginamos o roupeiro se negando a deixar o quarto de madeira, criando pés no podre. Talvez o confessionário preferisse se deitar quando já fosse pó, levando consigo nossos preservativos, revistas, cartas de alguma guria, a calcinha motivadora, cobertores de lã e travesseiros, alguma maconha, algum dinheiro e as falas da noite. Quando a luz refletia nele, só notávamos era a pele rachada mostrando efeitos da umidade. Se ele envelhecia no quarto aceso, cobraria para sempre o escuro em que também a madeira sabia ter juventude.

— São duas e meia.
— A gente tem que fazer check-in uma hora antes. É que nem avião.
— E o que a gente faz até lá?

30
as sacolas
de pano

Pagamos para entrar no farol que nos tinha testado naquela meia hora de eclipse. Suportamos a desolação, e agora subimos por uma escada em helicoide, estreita. Com a visão ampla, Colônia fica mais antiga e pequena. Ao nosso redor há brasileiros escutando um guia que diz aquelas coisas da cidade ser um pouco Portugal, um pouco Espanha. O que resta, a cidade histórica, é o resultado de uma briga. Fala datas, aponta o Rio da Prata e, no horizonte, uma pontinha de Buenos Aires. Ficamos olhando nosso destino, cogitando por que tínhamos escolhido o caminho mais longo, perto de mares e rios. Lá embaixo, as pessoas não têm sombra, ficam diminuídas, com a altura das pedras.

— Ô, Elias: não acha difícil acreditar nisso tudo?

— Tudo o quê?

— Primeiro aquele cavalo solto em Porto Alegre.
— Saiu no jornal, não viu? Tinha sido roubado e levado pra uma casa em Viamão. Daí conseguiu fugir.
— Tá, e veio nos procurar?
— Acha que veio nos procurar?
— Acho. Tu não?

O Elias tosse, negando com a cabeça.

— Ele não me disse isso.
— E o que o cavalo te disse?
— Que eu devia te procurar.
— Pois é nisso que ninguém vai acreditar.

Caminhamos depois pelas ruas e o Fernando é o primeiro a voltar ao táxi. Fuma um cigarro, escorado no porta-malas. O Elias procura algo numa loja, pergunta coisas a uma mulher e volta trazendo um pacote que o Fernando só entende quando recebe nas mãos.

— Pra ti.

É uma sacola de pano, com alças de corda, e a etiqueta do preço mostra trezentos e cinquenta pesos. Material de turista. Tem uma imagem que o Fernando não entende.

— É o fóssil de algum bicho?

O Elias tem uma sacola igualzinha nas mãos. Olha a figura estampada.

— Parece mesmo, mas é um mapa antigo de Sacramento. Ó: os nomes das ruas estão escritos em português antigo.

O Elias engata uma sacola no braço do Fernando.

— Tá aberto o táxi?

O Fernando aperta a chave e destrava o carro. O Elias abre o porta-malas e tira a caixa do Carlito. Pede que o Fernando feche o carro e traga a caixa. O Fernando fica sem entender, mas obedece.

Atravessamos uma praça e chegamos a uma escada de pedra que desce até a margem do rio. O Elias pega a caixa das mãos do Fernando e destampa. Ficamos vendo o plástico azul que cobre o Carlito. Lembra saco de lixo, só que mais forte. O Elias tira a japona que veste e estende sobre as pedras do degrau onde estamos. Olha para o Fernando e diz para tirar o casaco de lã. O Fernando vai tirando e, vendo que o Elias tem dificuldade para rasgar o plástico do Carlito, ajuda com a chave do carro. E a primeira coisa que vemos é um osso da cabeça, redondo e de um tom baio.

— Me ajuda, o Elias diz.

É difícil olhar para a caveira do Carlito. Está sem o queixo e só enxergamos uma cara se preenchemos os furos dos olhos e do nariz. A distância enfim ganha um rosto. Mas o rosto que surge parece de monumento — pouco lembra o vivo. O Elias começa a depositar os ossos sobre a japona e o Fernando entende e passa a pegar alguns ossos também. Não disputamos as partes, senão os ossos grandes das pernas. Vamos repartindo o Carlito sobre as nossas roupas, conferindo se os volumes parecem iguais. Fica uma sujeira no fundo do saco azul, e o Elias enfia a mão e tira alguns ossinhos muito pequenos, que ainda divide entre nós. Depois, faz um pacote com a japona e coloca na sacola de pano e o Fernando faz o mesmo com o casaco de lã. Partido ao meio, é como se o peso do Carlos fosse apenas o do casaco de lã e o da japona. É o que o frio decretou. Depois, levamos o saco azul até o rio. O Elias pede que o Fernando despeje o pó restante na água e o Fernando faz, estendendo o plástico que fica tremulando. Não enxergamos a poeira do Carlito, mas o Fernando confere o saco vazio.

— Não sei por que, mas tu não sente o Carlito mais confortável no pano que no plástico?

— Claro que sim, o Elias diz.

Voltamos ao táxi e colocamos a caixa vazia no porta-malas. Não resistimos e guardamos nas sacolas o boné e os óculos do Carlito. O Fernando tem vontade de abraçar o Elias, mas só o que faz é entregar a chave na mão dele. Depositamos as sacolas com cuidado no banco de trás.

— Pensou em tudo, né, Elias?

— Não. Fui pensando durante a viagem, mas a ideia das sacolas veio quando olhei as pessoas lá de cima do farol.

— Pois agora dá até tempo de aprender a dirigir.

O Elias acha que é brincadeira, mas o Fernando faz ele sentar no banco do motorista e mostra como ajustar a distância até o volante. Então, senta ao lado e fala dos três pedais, do câmbio e da sequência de marchas. Explica como é simples: cinto de segurança, ponto-morto, chave, embreagem e primeira marcha, acelerador e calma pra liberar a embreagem. O Elias tenta, e o carro se sacode até apagar. É preciso repetir tudo, detalhes aqui e ali. E então, na terceira vez, o Elias vai soltando a embreagem e acelerando, o Fernando dizendo pra não se afobar, e o táxi força a primeira marcha que nem um bicho preso e avança lento até o Fernando pedir pra engatar a segunda, e o Elias engata e sente o carro a trote por uns cinquenta metros até apagar de novo.

— É isso. Já sabe dirigir. As outras marchas estão desenhadas aqui. Tem espelhos pra ajustar, comandos do volante. Daí é cuidar, que o carro sempre pede a troca de marcha. Claro, cada carro tem seu esquema, mas o resto é treino mesmo e ir sentindo o bicho.

Tão simples, e o Elias sorri. Liga o carro de novo, e anda mais um pouco em primeira, consegue engatar a segunda e vai guiando bem devagar até apagar. O Fernando mostra que, para parar, é preciso colocar o pé na embreagem e depois no freio. O Elias repete tudo o que o Fernando explica. É metódico. Sabe aprender.

— Ô, Elias, daquela vez que o Carlos ia pra Argentina, ele pediu pra eu ir com ele. Queria que eu dirigisse. Eu achava, é sério, que tu é que tinha que ir. Tu sempre conheceu cavalo e tudo o mais.

— Eu já sabia disso.

— O Carlito queria que eu fosse de carro com ele pra levar a Onesita. Sabia disso também?

— Ele ia correr com a Onesita na Argentina?

— Não. Ele ia correr com um cavalo de lá, do proprietário que contratou ele, não lembro o nome. O Carlito ia levar a Onesita porque queria morar na Argentina por pelo menos um ano. Ele tinha conseguido emprestado um carro e o reboque de cavalo lá no prado. Conseguiu documentos com o proprietário pra levar a Onesita. Só precisava que eu dirigisse e me convidou pra morar com ele. Eu falei de ti, mas ele disse que tu não podia ir porque era de menor.

— E tu, ia largar o serviço?

— Eu ia. Disse pra ele que, se ele conseguisse o carro e o reboque emprestado mesmo, eu ia morar com ele lá. Daí, num domingo, ele me levou de moto até o prado e me mostrou o reboque fechado até em cima. Depois fez eu experimentar o carro. Era uma marajó roxa, praticamente novinha. Mostrou os documentos todos, tudo em dia, e me apresentou o dono.

O Elias não tira as mãos do volante. Dirige um pouco, para, engata a primeira de novo, anda uns metros. Não consegue olhar para o Fernando.

— Valeu por ter me contado só hoje. Eu teria ficado puto com vocês na época. Agora pega o táxi, senão a gente vai chegar atrasado e perder o barco.

— Tu é que vai levar o táxi até a rua do estacionamento. Dá tempo.

O Elias engata a primeira e vai levando o carro, esticando a segunda marcha.

— Eu não contei na época porque o Carlito pediu pra eu não te contar, porque tu tinha ciúmes.

— Ciúmes de vocês dois?

— É. De nós dois.

O Elias fica pensando.

— Não. Não era ciúmes de vocês dois. Seria mais ciúmes de eu não ir junto.

31
Rio da Prata

Sentados no fundo do buque, olhamos o rio pela janela. Ficamos escutando a conversa misturada das pessoas que esperam a partida e percebemos que até o barulho tem idioma. Nos isolamos no barco, mesmo que haja alguém na terceira poltrona, a do corredor. É uma mulher de óculos, da nossa idade. Mas logo ela e as outras pessoas, as sentadas, as que circulam, as que usam uniforme, que falam, que vão comprar água mineral, que vão ao banheiro, que voltam, que aparecem no vídeo com as instruções de segurança — todas são apenas fundo. Estamos com pouca roupa, e é claro que o ar-condicionado nos castiga, que a tosse do Elias ameaça. Nossas roupas quentes estão emboladas dentro das sacolas de pano que levamos no colo. Não pesam quase nada. Escondemos os braços atrás das sacolas. Assim, sentimos menos frio.

— A gente tem muita coragem.

O Elias fala aquilo. O Fernando não comenta nada ainda, mas a sensação é de que conseguimos.

Fizemos o combinado. Deixamos o carro num estacionamento em frente ao terminal dos barcos. Pegamos o boné, os óculos e a máquina fotográfica. Apresentamos as passagens e fizemos o check-in. Mostramos documentos, entramos em filas. Preenchemos papéis de imigração onde perguntaram quem éramos, de onde tínhamos vindo e o motivo de entrar na Argentina: marcamos turismo. Depois nos deparamos com a esteira onde pessoas deixavam as malas e passavam pelo detector de metais. Carregamos nas mãos uma sacola cada um e nos olhamos. Aí o homem da esteira disse algo e apontou para que passássemos, e nós passamos.

— A gente tem muita coragem.

O Fernando não tira os olhos da janela e duvida um pouco. Mas daí vem a partida do barco, e ele é vencido pela ideia bonita de que temos, mesmo, muita coragem. Podíamos ter seguido reto de Porto Alegre até Montevidéu, de Montevidéu até Buenos Aires, mas fizemos curvas e cá estamos. Também o barco que nos leva não vai seguir reto, a tela nos mostra o trajeto que vai durar quase uma hora. Nos olhamos: o Elias tem um metro e sessenta e três de altura, quarenta anos. O Fernando é três anos mais velho, tem um e setenta e seis. Temos cabelo liso e temos cabelo crespo. O Fernando tem sobrancelhas grossas e o bigode do Elias começa a crescer. Mas somos jóqueis num fotochart. Desaparecemos. Só nossos cavalos se destacam neste dia vitorioso.

— Onde a gente esteve?
— Como é que é?
— Esse tempo todo?
— Tava pensando nisso?
— Claro.
— Vou pensar também.

Estivemos perto.

Por vinte e quatro anos o Fernando continuou dirigindo. Primeiro, para o Dr. Miguel, até que o Dr. Miguel morresse e o Fernando continuasse motorista particular, então para um casal de idosos, depois dirigisse táxis para três proprietários diferentes e enfim fosse dono do próprio carro. Enquanto isso, o Elias terminava o segundo grau e fazia vestibular para Ciências Biológicas e passava e se formava na universidade federal, e já começava a dar aulas particulares, quando conseguiu uma escola.

Quantas vezes o Fernando levou uma senhora ao supermercado quando o Elias comprava açúcar e não nos vimos? Não nos vimos nem quando o Elias, levando o açúcar pra casa, pegou um táxi antes que o Fernando chegasse à fila do ponto. Com certeza, numa manhã de maio muito chuvosa, o Fernando deve ter levado um estudante atrasado para uma escola onde o professor Elias, fechando a porta da sala de aula, preparava as carteiras em cinco filas para a avaliação de Biologia. Algumas vezes, numa partida de futebol, estivemos no estádio e assistimos à mesma falta dura, ao mesmo pênalti, ao mesmo empate, sem nos darmos conta um do outro.

Pagamos contas de luz, de água, quebramos galhos aqui e ali — um conserto imprevisto de torneira, de radiador. Também durante todo o tempo, os documentos foram trocados, mudaram-se as regras do imposto de renda, o código de trânsito, e o ensino básico passou a ter nove anos. Votamos em candidatos nem sempre diferentes. Estivemos trabalhando, tirando férias, chegando adiantados e atrasados.

Evitamos as redes sociais e passamos de raspão pela mesma cidade, pelos mesmos governos. Caminhamos rente a uma loja, um parque, uma carrocinha de cachorro-quente. Porto Alegre foi pequena mas não o suficiente para estarmos no aniversário de um amigo comum. Se bebemos a água do mesmo rio, talvez tenhamos bebido um o mijo do outro, mas como distinguir o gosto? Estivemos nos verões, expansivos com o calor, talvez suados da mesma felicidade covarde, mais distantes talvez. Depois, o frio que encolhe, o frio que sempre nos pôs pra dentro, e a memória que perde os dentes mas permanece nítida como se repetíssemos o endereço para que alguém nos levasse em casa. Mas sempre retornamos aos setembros, e aos jacarandás roxos da janela da escola, da rua do supermercado, sobre o para-brisa dos táxis em fila.

Estivemos acordando cedo, o Elias lecionando até tarde, o Fernando guiando aos domingos. Compramos roupas novas. Fomos um num churrasco de cursinho em Gravataí só para ver uma secretária de cabelos curtos, outro numa pescaria em açude particular na Barra do Ribeiro onde foi charqueado pelos mosquitos. Estivemos com a perna quebrada — em dois lugares, fíbula e tíbia — e lecionamos de muletas sem poder dirigir. Estivemos constantemente encontrando mulheres, tentando deixá-las, tentando entender por que não gostamos delas. Planejamos fazer filhos sem conseguir, pensamos em adotar com alguém, e não passamos na prova de mestrado. Fizemos curso de mecânica e economizamos revisando o próprio carro. Fomos demitidos em quatro escolas, lecionamos em supletivo e fomos desejados pelas alunas que já eram mães. Jogamos futebol de quadra, pôquer aos domingos, e fizemos algumas aulas de natação que achamos um saco. Lemos *O gene egoísta* quando o autor veio a Porto Alegre e acabamos fazendo carteira para dirigir moto e caminhão. Tentamos aprender inglês, fomos sócios de um curso em Passo Fundo, de uma locadora de vídeos no bairro Floresta, e tivemos cinco endereços de e-mail. Dávamos aula quando caiu a primeira torre gêmea e escutamos a queda da segunda pelo rádio do táxi. Tivemos raiva das notícias que já não lembramos mais. Bebemos de vez em quando. Somando tudo, estivemos bebendo quase todos os dias. Fumamos maconha e achamos um absurdo o taxista que transportava cocaína. Tivemos hamster, cachorro, gato, iguana e tartaruga. Nossos peixes morreram no aquário sem explicação. Tratamos o canal de um dente de trás e decidimos não fazer a artroscopia no joelho direito. Compramos bicicleta e o primeiro autorrádio com mp3. Aprovamos aluno por conselho de classe, fomos assaltados dirigindo à noite, compramos casa na zona norte e ainda vivemos de aluguel num apartamento do Bom Fim.

 Se o Fernando olhasse num GPS, diria que estivemos pisando os mesmos lugares de um mapa que pouco mudou. É o que o Elias diria se tivéssemos na pele aqueles rastreadores aplicados sob o couro dos bichos.

 Pouquíssimas vezes nos encontramos — o pai Liandro no hospital, ou frequentemente na casa de Guaíba, em aniversários, dia das mães, dia dos pais. O Elias vinha para o almoço, falava da faculdade, das aulas, de uma namorada, e escutava a mãe dizer que o Fernando estava dirigindo táxi, tinha comprado táxi, tinha comprado casa. O Fernando chegava à tardinha, porque tinha corridas a fazer.

Nos cumprimentávamos como se acabássemos de ser apresentados e o Elias tinha coisas a estudar, provas a corrigir, e era o primeiro a ir embora.

É absurdo: dividimos domingos, moedas de troco, perfume, moscas, água mineral. Só não acontecemos.

A última vez que nos encontramos foi numa feira agropecuária, em Esteio. O Elias era o guia de uma turma do colégio e mostrava os animais. O Fernando tinha ido com uns amigos ao centro de exposições e os esperaria até o fim da festa. Justamente numa prova de paleteada sob chuva fina, sem sabermos, pisamos os dois no barro e ficamos assistindo. A vaca foi solta e disparou. Atrás, vieram galopando os ginetes e a apertaram firme, lado a lado, e iam contê-la quando a vaca derrubou um deles. O cavalo caiu por cima, e gente de macacão laranja veio segurar as patas do animal. O ginete levantou, embarrado mas ileso e, juntando e abanando o chapéu, foi aplaudido. Divididos pela arena de barro e serragem, estivemos lá, vendo aquilo. Até que um avistou o outro na multidão. Ficamos um instante tentando descobrir, num rosto que olharia para o chão, outro que viraria de lado, que não éramos o Elias, não éramos o Fernando, e fugimos para a confusão de chuva e gente até que a multidão nos devolvesse o olho cavalo.

Se estivemos com frio, foi por julgarmos que a distância talvez fosse um velório. E que também os mortos, ao pensar na vida, têm lá o seu direito a ficar de luto. Mas onde estivemos para permitir que o pó cobrisse tudo e, assombrados de afastá-lo com a mão, acabássemos deixando que a camada recebesse chuva, cabelos caídos, unhas mortas até que, sob o peso que o chão conquista, aceitássemos viver embaixo, como se vive sob as lembranças? Onde estivemos esse tempo todo, hein, Elias, hein, Fernando? Estivemos enterrando alguém que o escuro não se negou a cobrir. Estivemos morrendo.

32
anoitece em
Buenos Aires

O Elias dorme com a máquina fotográfica pendurada no pescoço. A tosse, agora esparsa, está só dizendo ao Fernando que o irmão ainda está ali. O buque vai reduzindo a velocidade, e então o Fernando acorda o Elias, puxando a sacola de pano que ele leva sob as mãos. Mostra que estamos chegando. Algumas luzes começam a acender, inventando uma cidade para nós. Antes dela, há filas, papéis que não queremos entender, que vamos preenchendo. Há nossos nomes e há os documentos. Pelas janelas, sentimos o bafo do mundo turvando as luzes lá de fora e somos as crianças loucas para correr na rua.

Saímos da estação com o voucher do táxi em mãos e, agora sim, o frio, este frio novo, reclama a roupa dos vivos. Desvestimos o Carlos com cuidado e nos vestimos depois. A tarde cai. Buenos

Aires está vermelha, e a noite nos espia, azul, por entre os prédios, para ver se vamos aguentar.

Pegamos um táxi preto e amarelo que lembra aquelas vespas que montavam casas de barro no beiral do nosso quarto. Entregamos o voucher e dizemos que não queremos ir ao hotel. Queremos o hipódromo de Palermo. O taxista se vira e nos olha. Diz algumas coisas. Entendemos apenas que fala sobre cavalos. E o Elias desata a falar com ele, num português empolgado demais. Fala que o nosso irmão corre hoje, que nosso irmão não trouxe a égua, mas que, com qualquer cavalo, ele ganha o páreo que lhe derem.

— Sabe por quê? Sabe por quê?

O argentino parece nos entender. Nos olha pelo espelho, enquanto dirige.

— Porque esta cidade é a mais fria do mundo!

O Fernando aperta os ossos que tem na mão. Pela sua cabeça deve estar passando uma ideia tentadora de que agora podemos voltar, não precisamos de hipódromos, nem de carreira alguma. Mas nos olhamos e estamos indo. Depois, temos os vidros do táxi para vislumbrar a cidade, a maior cidade onde já estivemos.

O táxi para. O taxista explica alguma coisa e mostra o voucher, e o Elias traduz que o voucher é maior que a corrida e que ficaremos sem o troco, e aceitamos assim.

E descemos diante do hipódromo, um arco de bandeiras argentinas pequenas orbitando outra enorme, num mastro alto, que se ergue atrás. O Fernando coloca os óculos sobre a cabeça e o Elias acha o boné.

Entramos entre os pavilhões e nos perdemos olhando. Tudo tem ares de museu. Luminárias antigas despejam uma luz amarela sobre esculturas de mulheres com vasos que compõem um chafariz.

— Parece outro país.
— É outro país.
— Digo: país da Europa, França, Inglaterra...

É de fato um luxo que nunca vimos. Merecemos isto.

Avançamos em direção aos rumores e de repente nos deparamos com uma luz cênica sob a pista imensa, bem na hora em que uma carreira finaliza à nossa frente. Comemora-se a vitória e estamos perto. Uma família abraça um jóquei. No telão central, vemos a vantagem de dois corpos. No restinho do dia, os últimos vermelhos do horizonte parecem festivos. Os relógios dourados, Longines, marcam seis e meia. É quando nossa noite começa.

Caminhamos entre os estrangeiros, que só nos olham porque o Fernando está com os óculos amarelos sobre a cabeça. E então ficamos de frente para uma escultura de cavalos e jóqueis feitos de sucata. Estão pintados de preto, guardados por uma mureta de vidro. Cada peça se solda à outra com tanta lógica que estão mesmo correndo, estão chegando. É um fotochart, o Elias lembra, mas a diferença entre eles é de meio corpo, e a Onesita de lata não tem olho: não avisa ao jóquei que estão ganhando. O Elias vai fotografando tudo, a pista, o horizonte, os cavalos de sucata, nós dois espantados.

Não precisamos falar que viemos para apostar e por isso procuramos até achar o cânter: um cenário de filme, com jardins organizados, árvores vestidas de triçô, bancos de praça e os personagens coloridos que trazem seus cavalos para que apostemos neles.

Ficamos assistindo aos bichos, também o Elias se fazendo de inocente como quem olha um desfile. Conjugamos a mesma lembrança, não importa qual seja, porque vamos inventando:

— Imagina o Carlito aqui,

e lá vem o Carlito, vestindo verde, trazendo a Onesita. Ela é irresistível sob a luz, um deboche de Brasil nada exótico que complica o olhar dos castelhanos. E eles sabem que aquela égua cor de estanho veio para ganhar, é o que dizem entre si. E então o Carlito é C. Martins e desaparece, como desaparece o jóquei que sabe correr com o cavalo, não em cima do cavalo, mas se misturando a ele, tornando-se — jóquei escondido — o focinho que vence por um focinho. Isto tudo coincidimos, porque na invenção é mais fácil. E, escorados no cercado, estamos voltados pra dentro de nós, torcendo para que o outro esteja vendo as mesmas coisas. E é aí que o Fernando escuta os cavalos reunidos. Entende uma língua bruta, que dói. Não há palavras, e os sons não parecem se apropriar das coisas, dizendo isto é aquilo. Não há distinção entre fala e coisa falada. É como uma música, só que feia, mais barulho que som, repetindo isto é isto mesmo, nem mais nem menos. A língua dos cavalos correndo: o Fernando observa os modos como articulam tudo a partir da boca, e aumenta a velocidade dos gestos, e considera que enfim aprendeu a falar uma língua que não tem eu.

— Gostou de algum cavalo, Fernando?
— Gostei de todos.

Um cavalo nos ouve e vem nos dizer alguma coisa. Mexe as gengivas e mostra os dentes fortes e limpos.

«Podem apostar, que a carreira é nossa.»

Escutamos as pessoas falarem do cavalo.

«Rey León.»

É o que o cavalo diz. Repetimos o seu nome quase ao mesmo tempo, e os apostadores argentinos dizem isso mesmo, que é Rey León, que é um dos favoritos. É um cavalo dourado, de crinas espessas e mais claras, número 18, muito parrudo e de patas compridas. O jóquei quer que ele ande, e então ele trava as patas traseiras e começa a urinar forte, meio espetacular.

— Olha, Elias.
— Que tem?
— Ele parece gente.

É mesmo um cavalo familiar, como uma pelúcia de infância. O jóquei é pequeno como todos os jóqueis. Veste uma camisa verde com listas horizontais pretas. Mas não nos traz qualquer recordação. E que podemos dizer mais?, que é verdade que sofremos em frente ao hospital, que nos culpamos naquele cemitério e que saímos cheios de rebarbas e que, depois de tanto boicote, carregando o que resta do nosso irmão, tudo parece natural como o cavalo que urina?

— Vamos apostar nele, o Fernando decide.
— Muito parecido, não achou?, com o cavalo que nos levou até o Cristal. E achou o jóquei parecido com o Carlito?
— Achei o cavalo parecido com alguém.

Voltamos aos pavilhões. O Fernando passa a sacola ao Elias e pede que sente, que ele, o irmão que teve medo de cavalos, vai apostar e buscar cervejas. O Elias acomoda as duas sacolas numa cadeira e senta ao lado. Fica vendo a movimentação de tudo, à espera do Fernando. Não quer que a carreira comece sem o irmão e subitamente se levanta para ver se o Fernando está vindo. Acomoda-se de novo. Sente uma solidão, como se não fizesse sentido estar ali, em outro país, numa noite fria de segunda-feira, vendo homens e cavalos disputarem uma corrida que não nos diz respeito. Onde está o Fernando, que não vem? O Elias se levanta e novamente procura. Mas o Fernando demora: deve ter fila para apostar, para comprar cerveja. Confere o relógio imenso da pista, mas não recorda quando o Fernando saiu, e então está perdido. Até que, de pé, vê o irmão nítido entre o alarido das pessoas e acena para ele. O Fernando sobe o pavilhão, entrega uma cerveja para o Elias e senta ao seu lado. Olha as sacolas do Carlito no outro assento. É noite plena já, e de repente a umidade não está no ar. Agora quem somos nós, bebendo cerveja, sentados a ver cavalos em meio à noite castelhana?

 O páreo se alinha ao longe, onde é possível avistarmos os carros de uma avenida. Disparam doze cavalos, e muita gente se levanta. O frio nos engana, esfrega as figuras que correm pela areia, fazendo tudo mais veloz do que é. O telão ajuda, e o Rey León está bem colocado. Corre por dentro, num pelotão intermediário. São muitos cavalos, e nos olhamos e intimamente queremos colocar o Carlito e a Onesita na pista. Talvez tenhamos pensado os dois, no dia seguinte àquele enterro — o Carlito não monta mais, o Carlito não corre mais.

Mas é preciso dizer que, depois das carreiras que tinha, perdendo ou ganhando, ele vinha sentar no pavilhão e ficava vendo os outros páreos. Não o imaginamos correndo agora. O barulho e a luz de tudo penetram as sacolas de pano, e o Carlito, se o Carlito está sentado ali, está só olhando o quinto páreo da noite sem qualquer mágoa. Não temos nenhuma sensação mentirosa de que ele está correndo. Estamos assim também: só olhamos para a pista e seu estranho domínio, contentes de termos chegado até esta noite.

Na primeira curva o Rey León assume a ponta e dispara. Mantém a dianteira até o fim da segunda curva, quando perde patas. Cavalos que vêm atrás começam a ultrapassá-lo. O colorado 22 cruza o disco, ganhando por um corpo. O Rey León chega em sétimo, soltando baba, agitando a juba.

Estamos de pé. Nos abraçamos como se tivéssemos ganhado uma aposta enorme. E é tão difícil aceitar que tudo isto seja só um esporte.

— Ganhamos.
— Como ganhamos?

O Fernando mostra as apostas.

— Apostou em todos os cavalos?
— Mas ganhamos.
— Perdemos dinheiro em 11, Fedor!
— Mas ganhamos em um.

Rimos de nós mesmos. E sentamos, cansados, para terminar de beber as cervejas. O Fernando quer muito falar.

— Fala, Fernando!
— E, agora, Elias: acha que o Carlito ia me aceitar?

O Elias olha o Fernando e demora a responder. Uma fotografia onde nós três levantamos voo para ver melhor lá de cima dá sentido aos invernos. No frio tudo devia ficar mais leve e perto, é isso?

— Acho que não, Fedor. Mas daí a gente ia dar um pau no Carlito, caso ele não tenha entendido ainda que é o caçula agora.
— O que vamos fazer com ele?
— Não sei. Eu pensava que, no fim, a gente ia enterrar ele por aqui, em algum lugar.
— Mas não dá pra fazer neste hipódromo. Nem acho certo.

Pegamos as sacolas de pano e vamos caminhando até o corredor que dá para a saída. Há poucas pessoas ali, um guarda, um homem que telefona. Então nos olhamos e saímos do hipódromo correndo. O Fernando na frente e depois o Elias, até que, quase juntos, carregando as sacolas do Carlito, chegamos à calçada. Sentimos felicidade, e é tanta que paramos para respirar quase assustados de estarmos assim.

Caminhamos até os táxis em fila. Vamos pagar para que um nos leve pela cidade. Vamos pedir que estacione quando quisermos olhar as coisas, comprar bobagens. Depois, vamos procurar um hotel, comer bastante carne e tomar todas as cervejas. Exigiremos da noite que ela dê seu máximo. Aí, é dormir até acordarmos por nós mesmos, como se morássemos na Argentina e tivéssemos a nossa égua corredora.

Amanhã, sem pressa, vamos ver como levamos o Carlito de volta pra casa.

Ao amigo fotógrafo e cineasta Louis Scur Carrard e ao meu filho Santiago Martins, parceiros na viagem de 2015.

Aos meus irmãos, Alekysan, Douglas e Aline.

A mi hermana y mi mamá uruguayas, Soledad Mernis Fernández y Lia Fernández de Mernis. Gracias por el tuco.

Ao Jóquei Clube do Rio Grande do Sul.

Ao professor e escritor Arthur Telló, pela leitura sincera.

Ao meu tio, João Nilton Martins.

Ao meu pai, Carlos Martins.

E à égua Onesita, que só conheci por foto.

livraria dublinense

A LOJA OFICIAL DA DUBLINENSE E DA NÃO EDITORA

LIVRARIA.**dublinense**.COM.BR

Composto em ANTWERP e impresso na PALLOTTI,
em LUX CREAM 70g/m², em OUTUBRO de 2019.